QUAND LA PAROLE PREND FEU

François CASSINGENA-TRÉVEDY

Moine de Ligugé

QUAND LA PAROLE PREND FEU

Propos sur la *lectio divina*

VIE MONASTIQUE, n° 36

ABBAYE DE BELLEFONTAINE

Collection VIE MONASTIQUE

Série Spiritualité monastique contemporaine

Sur la page de couverture :

« Révélation du Nom »
Émail de Ligugé

Liminaire

On pourrait baptiser ce détail du « Christ aux outrages » : « *Lectio divina* ». À travers ce saint Dominique en effet, c'est vraiment tout un idéal, toute une spiritualité de la *lectio divina* qui nous est suggérée. De lui se dégage une impression de gravité sereine, d'intense vie intérieure ; intense... mais sans tension. Un « fils de lumière » (1 Th 5, 5).

L'étoile au-dessus de la tête fait penser à l'étoile miraculeuse qui s'arrêta un jour « au-dessus de l'endroit où était l'enfant » (Mt 2, 9) ; étoile qui s'arrête là où habite le Verbe... Mais cette étoile fait aussi penser à une « langue de feu », comme il s'en posa sur les Apôtres au jour de la Pentecôte (Ac 2, 3). C'est une autre manière de figurer la présence, l'assistance secrète de l'Esprit, un peu comme la colombe de Grégoire le Grand. Par cette étoile, Fra Angelico nous rappelle que la *lectio divina* se fait *sous l'Esprit, sous Marie...*

Les mains sont longues, fines, comme dans les icônes orientales ; la main droite dessine un geste discret de bénédiction. Le menton s'y appuie délicatement dans une attitude d'interrogation ; le lecteur scrute vraiment le livre ; il l'interroge et s'interroge : la *lectio divina* est *une quête.* « *Fides quaerens intellectum* », la foi qui cherche à comprendre. La main gauche, dans l'axe perpendiculaire de la droite (les deux dimensions de la croix), s'apprête à tourner la page : le livre invite à aller voir toujours plus loin, à compulser sans cesse de la première à la dernière page ; c'est un livre qui a une suite.

Le livre est grand ouvert sur les genoux ; il occupe tout le giron de cet homme assis ; la place des reins et du cœur que Dieu scrute ; il est profondément intériorisé. La jambe droite cependant est pliée, tandis que la gauche est étendue : attitude souple de celui qui est prêt à se lever et à partir pour faire ce qui est écrit. La *lectio divina* s'épanouit en *vie*.

N'oublions pas cependant que ce saint Dominique n'est que le détail d'un ensemble ; il est assis au pied d'une estrade où trône le Christ lui-même, recevant soufflets et crachats. Il est curieux de noter que le lecteur, au lieu de regarder le Christ, reste plongé dans la contemplation du livre ; serait-ce distraction, indifférence ? Nullement. Il suffit d'observer que l'angle gauche du livre, l'index de la main droite, la jointure des yeux et l'étoile dessinent un axe qui, prolongé, conduit au visage du Christ. Le lecteur découvre dans le livre, comme en un miroir, le visage du Christ ; il y lit l'accomplissement de la prophétie du Serviteur Souffrant ; il vérifie dans le livre l'exactitude de « tout ce qui concerne Jésus » (Lc 24, 27) ; il reconnaît dans la Passion l'accomplissement des Écritures (Jn 19, 3). Assis au pied de l'estrade, il nous rappelle que toute *lectio divina* se fait *sous le mystère pascal*, sous la Croix.

Saint Dominique n'est pas seul aux pieds du Christ : vis-à-vis de lui exactement, il y a Marie, assise elle aussi, mais sans livre. Marie n'a plus besoin du Livre, parce qu'elle l'a déjà parfaitement intériorisé et accompli. Marie, c'est aussi l'Église. Et Fra Angelico nous signifie encore que la *lectio divina* se fait *dans l'Église, avec l'Église*, en conversation constante avec l'Église-Vierge qui « garde toutes choses en son cœur » (Lc 2, 19).

À travers ce saint Dominique, l'Angelico nous suggère enfin peut-être la parfaite habitation de la chair par l'Esprit ; une parfaite transparence à la lumière qui est l'œuvre d'un long silence ; la vie contemplative, la vie consacrée, la vie monastique parvenues à un apogée de silence, de lumière, de paix, de joie intérieure, dans la docilité complète à l'Étoile et la méditation du Livre sans fond qui « éclaire le regard » (Ps 19, 9) ; bref, c'est la *lectio divina* atteignant sa finalité.

I

À livre ouvert

Le livre des saintes Écritures est là, ouvert sur ta table ; il devrait rester ainsi toute la journée, car, quelles que soient les autres études auxquelles tu pourras te livrer lorsque tu auras achevé ton heure régulière de *lectio divina*, ce livre-là restera toujours la source, la référence, la mesure. Quand on entre dans ta cellule, on devrait le remarquer tout de suite, car l'ordre que tu essaies d'y maintenir ne devrait pas avoir d'autre fin que de le mettre en honneur, en évidence.

Tu n'as pas le bonheur de posséder le Saint Sacrement dans ta cellule, mais tu as dans ta cellule les saintes Écritures à ta libre disposition : c'est ton tabernacle à domicile. Tu pourrais placer le Livre sur un trône et entretenir devant lui jour et nuit un luminaire ; il ne t'est pas interdit de faire une inclination devant lui avant de l'ouvrir, de baiser la page où tu laisses ta lecture avant de le fermer, comme fait le prêtre après le chant de l'Évangile, de lire à genoux [1]... Veille en particulier à ne pas

1. « Salue la croix et prends l'Évangile dans tes mains. Place-le sur tes yeux et sur ton cœur. Tiens-toi devant la croix, sur tes pieds, sans t'asseoir par terre, et à chaque chapitre que tu lis, place le livre sur un coussin et prosterne-toi devant lui jusqu'à dix fois en faisant monter des actions de

traiter ce Livre-là comme les autres livres, à ne pas le mettre sous une pile par exemple, à ne pas le laisser traîner négligemment[2]. Ce n'est pas là idolâtrie, culte matériel : c'est délicatesse… car l'incarnation de la Parole comporte cette humiliation-là aussi : la parole du Dieu vivant est consignée dans un livre qui, dans sa matérialité, ressemble à tous les autres livres humains et participe à leur histoire, à leurs vicissitudes.

C'est sur ce livre-là que tes yeux devraient se poser dès ton réveil, avant les vigiles ; c'est encore le dernier livre sur lequel tu devrais t'endormir le soir. Livre antérieur au soleil et postérieur au soleil, matutinal[3] et vespéral, diurne et nocturne, alpha et oméga de chacune de tes journées. Livre toujours ouvert sur ta table, Pain de proposition sur cette table que le Seigneur a dressée pour toi (cf. Ps 23, 5). Considère alors la table de ta cellule comme un autel, comme l'une de ces deux menses placées de part et d'autre dans le trésor de l'Église[4]. Vers l'une comme vers l'autre tu dois t'avancer avec joie (cf. Ps 43, 4).

Mettons nos délices à méditer jour et nuit la loi du Seigneur, à frapper à la porte qui n'est pas ouverte, à recevoir les pains de la Trinité[5].

grâces vers celui qui t'a rendu digne de méditer et de lire… » Joseph Hazzaya (VIIᵉ siècle), *Lettre sur les trois étapes de la vie monastique*, 74, PO 202, p. 345.

2. « Et les très saints noms du Seigneur, et les manuscrits contenant ses paroles, chaque fois que je les trouverai abandonnés où ils ne doivent pas être, je veux les recueillir, et je prie qu'on les recueille, pour les placer en un lieu plus digne », François d'Assise, *Testament*, 12.

3. … Tu cueilles des fleurs dans les pâturages de la Parole, trempés par la rosée de la joie matinale…, Paulin de Nole, *Epist.* XI, « ad Severum », 8, PL 61, 195C.

4. Cf. *Imitation de Jésus Christ*, L. IV, XI, 24.

5. Jérôme, *Epist.* XXX, « ad Paulam », 13, Belles Lettres, t. II, p. 35.

II

Écrit pour toi

L a table est dressée pour toi ; le Livre est écrit pour toi. « Dans le rouleau du livre, il est écrit pour moi... » (Ps 40, 8). *Bimegillat séphèr katûb 'alaï...* Écrit pour moi ! Voilà précisément la différence fondamentale entre ce Livre-là et tous les autres. Ce Livre-là est tout spécialement écrit pour moi, et tout entier ! Il m'est, il t'est adressé à toi en particulier. Saint Grégoire peut alors définir l'Écriture sainte comme une « lettre envoyée par le Dieu tout-puissant à sa créature [1] ».

Si tu attends depuis longtemps une lettre en provenance d'un ami très cher, tu guettes avec une certaine anxiété l'arrivée du courrier, et si la lettre est arrivée, tu t'empresses de la décacheter et de la lire [2]. Dieu t'a écrit une lettre d'amour, une longue lettre, il t'en renouvelle quotidiennement l'envoi, et tu n'aurais pas hâte de la recevoir, tu ne t'empresserais pas de la lire, de la relire, de l'apprendre par cœur ?

---

1. GRÉGOIRE LE GRAND, *Epist*. V, 46, « à Théodose, médecin de l'empereur » (*CCSL* 140), p. 339.
2. « Comme un fiancé lit une lettre de sa bien-aimée, c'est ainsi que tu dois te mettre à lire l'Écriture », S. KIERKEGAARD.

Il faut absolument acquérir et entretenir en nous, pour parvenir à la véritable *lectio divina*, une mentalité de destinataire, c'est-à-dire être bien persuadé que l'Écriture nous est personnellement adressée. Tant qu'une telle persuasion ne s'est pas développée en nous, il n'y a pas de vraie *lectio divina*, ou celle-ci ne se dégage pas encore vraiment d'une lecture profane. La *lectio divina* en effet, comme la réception des sacrements, comme l'oraison mentale, quoique d'une façon qui lui est spécifique, est le lieu d'une *rencontre personnelle* avec « Celui-qui-te-parle » (Jn 4, 26 ; 9, 37)[3]. À la lecture livresque, superficielle, doit alors se substituer une lecture-contact, une lecture-rencontre.

« Écrit pour moi », cela signifie donc trois choses. Premièrement que je suis le *destinataire* de l'Écriture ; en termes d'anthropologie biblique, cela signifie que Dieu me « parle au cœur » :

Je vais la séduire,
Je la conduirai au désert
et Je parlerai à son cœur (Os 2, 16).

Et le texte se poursuit ainsi :

Elle *répondra* comme aux jours de sa jeunesse (v. 17).

La « lettre du Dieu tout-puissant à sa créature » appelle une réponse. Aux premiers jours de notre conversion, aux « jours de notre jeunesse », nous répondions peut-être avec émerveillement et enthousiasme[4] ; la *lectio divina* était pour nous chose désirée et douce. Avec le temps peut-être est-elle devenue

3. « Pratique aussi assidûment la prière que la lecture ; tantôt tu parles avec Dieu, tantôt c'est Dieu qui parle avec toi », Cyprien, *Ad Donatum*, 15, *SC* 291, p. 113.

4. « Dieu ne nous parle à travers toute la sainte Écriture que dans un seul but : nous entraîner à l'amour de lui-même et du prochain », Grégoire le Grand, *Homélie* X, « sur Ézéchiel », 14, *SC* 327, p. 398. « Tout ce qui ne va point à la charité est figure. L'unique objet de l'Écriture est la charité. Tout ce qui ne va point à l'unique but en est la figure. Car, puisqu'il n'y a qu'un but, tout ce qui n'y va point en mots propres est figuré », Pascal, *Pensées*, éd. H. Massis, 1935, p. 409.

pour nous un exercice obligé, une formalité sans attraits. Celui qui nous avait écrit nous avertit alors secrètement : « J'ai contre toi que tu as perdu ton premier amour... » (Ap 2, 4). Le Seigneur nous ouvre chaque matin le jardin de ses Écritures et une voix intérieure nous y crie, comme à Augustin dans le jardin de Cassiciacum : « Prends, lis ! Prends, lis ! » Bien mieux encore que saint Benoît au Prologue de sa Règle, le Seigneur peut nous dire : « *Ad te ergo nunc mihi sermo dirigitur...* » Il quête de nous un regard d'attention : « C'est à toi que Je parle ».

« Écrit pour moi », cela veut dire encore que je suis la matière du livre[5] ; il me raconte ma propre histoire, depuis ma genèse jusqu'à mon apocalypse. Abraham, Moïse, David, les prophètes et les apôtres me sont, après tout, plus contemporains que les grands noms de l'actualité, car je ne fais qu'apercevoir ces noms dans les journaux, tandis que pour les premiers, je vis chaque jour avec eux et je lis dans leur histoire éternellement neuve et vraie, l'histoire de ma vocation, de mon péché, de mon repentir.

« Écrit pour moi », cela veut dire enfin que Dieu a pris la peine d'user d'un langage qui me fût accessible.

Au début de son ministère public, Jésus entra dans la synagogue de Nazareth et on lui présenta, à lui aussi, le « rouleau du livre ». Jésus nous a donné alors une magistrale leçon de *lectio divina* ; tout d'abord par la gravité et la majesté de ses gestes sur lesquels le récit évangélique s'arrête avec une complaisance manifeste (Lc 4, 17 et 20). Pour chacun de nous, comme pour Jésus, l'ouverture et la fermeture de la *Megillah*,

---

5. « Nous ne sommes pas passifs simplement comme devant une démonstration, une exposition, une exhortation. Nous devenons ce qu'on nous dit. Nous agissons tout bas. Quelqu'un parle à notre place et nous nous démenons à la sienne. Ce n'est pas David qui demande pardon, c'est nous... », P. CLAUDEL, *Introduction au livre de Ruth*, Desclée, 1938, p. 69. « L'Écriture est histoire et événement, de même que la vie de chaque individu devant Dieu et avec Dieu est histoire et événement. Mais l'Écriture raconte et contient une histoire et un événement originels, à partir desquels toute vie particulière devient pour la première fois vraiment histoire et événement », H. URS VON BALTHASAR, *La Prière contemplative*, Desclée, 1959, p. 29-30.

du rouleau, doivent être des actes solennels. Mais remarquons surtout le commentaire que fait immédiatement Jésus du passage qu'il vient de lire :

« *Aujourd'hui* s'accomplit à *vos* oreilles ce passage de l'Écriture » (Lc 4, 21).

Jésus avait pleinement conscience de ce que la prophétie d'Isaïe trouvait aujourd'hui en lui son accomplissement pour ceux qui l'écoutaient ; et auparavant, en lisant lui-même le texte, il avait eu nettement conscience de ce qu'il s'accomplissait pour lui. Ainsi en va-t-il pour nous chaque fois que nous ouvrons l'Écriture ; chaque matin, à l'heure festive de la *lectio divina*, nous devons avoir la certitude qu'*aujourd'hui* ce passage de l'Écriture s'accomplit *pour nous* en Jésus Christ, qu'il n'est pas un seul mot de ce que nous lisons qui ne soit écrit pour nous. « *Ad te ergo nunc mihi sermo dirigitur...* » Aujourd'hui, en ce jour qui est peut-être le dernier, le Père me parle en son Fils (He 1, 2).

III

As-tu vraiment faim ?

Lorsqu'arrive l'heure de Tierce, il y a déjà plusieurs heures que nous sommes levés et, assez naturellement alors, la faim nous prend... Une autre faim pourtant devrait en même temps nous saisir, bien plus impérieuse encore : la faim de la Parole de Dieu dispensée à nous chaque matin dans ce mode de réfection merveilleux qu'est la *lectio divina*.

Écoutons l'Écriture elle-même nous parler de cette faim :

Il t'a donné à manger la manne que ni toi ni tes pères n'aviez connue, pour te montrer que l'homme ne vit pas seulement de pain, mais que l'homme vit de tout ce qui sort de la bouche de Yahvé (Dt 8, 3 ; cf. Mt 4, 4).

Quand Tes paroles se présentaient, je les dévorais :
Ta parole était mon ravissement et l'allégresse de mon cœur (Jr 15, 16).

Voici venir des jours – oracle de Yahvé –
où J'enverrai la faim dans le pays,
non pas une faim de pain, non pas une soif d'eau,
mais d'entendre la parole de Yahvé (Am 8, 11).

Celui qui Me mange vivra par Moi (Jn 6, 57).

Car il est bon que le cœur soit affermi par la grâce, non par des aliments qui n'ont été d'aucun profit à ceux qui en usèrent (He 13, 9).

Chaque matin donc, tu peux te demander : « Ai-je vraiment faim de la Parole de Dieu ? » Si la simple perspective de la *lectio divina* n'éveille pas en toi l'appétit, c'est que tu es malade ; l'inappétence en effet est un symptôme de maladie. Si tu n'as pas faim, c'est que tu n'as pas encore vraiment réalisé que la *lectio divina* ne consiste pas dans un luxe de désœuvré ni dans un loisir d'intellectuel, mais qu'il y a là une *nécessité* vitale, une fonction indispensable de l'organisme spirituel. Celui qui écourte sa *lectio divina*, qui la bâcle, qui la perd, qui prend le pli de s'en dispenser deviendra vite un sous-alimenté et succombera à la sécheresse, à l'anémie. La *lectio divina* fait partie de cette phase illuminative, contemplative, tout immanente, de notre journée monastique, où le Seigneur nous nourrit, nous irrigue comme un jardin :

> Il le nourrit des produits des montagnes,
> Il lui fait goûter le miel du rocher
> et l'huile de la pierre dure,
> le lait caillé des vaches et le lait des brebis
> avec la graisse des pâturages [...]
> Jacob a mangé, il s'est rassasié... (Dt 32, 13-15).

Si nous sentons vraiment cette nécessité vitale de la *lectio divina*, son absence, sa suspension devraient provoquer en nous une sorte de souffrance. Nous aurons à revenir plus loin sur cette analogie de la nutrition, car elle se révèle à ce sujet extrêmement féconde ; insistons pour l'instant encore sur cet aspect de nécessité.

Sans perdre de vue toute l'extension de la notion de *lectio divina* (car tout au long de la journée nous pouvons faire cette *lectio* de bien des manières), il importe de souligner l'importance capitale de la *lectio divina* proprement dite, c'est-à-dire de cette part de *temps* suffisamment importante que l'on consacre *chaque jour* à l'*étude* de l'Écriture Sainte, sous une certaine *lumière* et selon une certaine *méthode*.

IV

Les trois colonnes du monde

Pour mettre en lumière la place primordiale qui revient à la *lectio divina* dans notre vie, aidons-nous d'une très grande maxime de la sagesse juive ; elle ouvre les *Pirqé Abot*[b], sorte de recueil d'apophtegmes, et se trouve attribuée à Siméon le Juste, grand prêtre à Jérusalem au III[e] ou au II[e] siècle avant notre ère :

> Le monde repose sur trois colonnes :
> L'étude de la *Torah*
> et l'*Avodah* (c'est-à-dire le culte, la prière)
> et les œuvres de miséricorde[1].

L'application de cette sentence à notre vie monastique est aisée : la *Torah*, c'est l'étude de l'Écriture Sainte, de la « Loi de l'Esprit qui donne la vie dans le Christ Jésus » (Rm 8, 2) ; la *Avodah*, c'est toute la part liturgique, cultuelle, sacerdotale de notre vie ; la *Gemilut-hassidim* enfin, c'est la forme très particulière que revêt, dans le cadre de la communauté monas-

---

1. *Pirqé Abot*[b] 5, 2.

tique, la solidarité sociale et humaine, autrement dit toute notre activité « transitive » imprégnée de charité fraternelle.

Négliger l'une de ces trois colonnes, en saper les fondations, c'est compromettre tout simplement l'équilibre de notre vie monastique. On pourra toujours discuter sur la priorité de telle ou telle colonne. Du reste, l'étude de la *Torah* n'est-elle pas première, en ce sens que l'Écriture constitue la substance même de la liturgie et que c'est elle qui nous inculque le « commandement nouveau » de l'amour fraternel ? Autant dire que considérer à la légère ou de façon routinière l'étude de l'Écriture Sainte conduit à de grands périls...

V

Lire est un travail

Mais au fait, de quelle étude s'agit-il ? Et c'est là que nous entrons dans le vif du sujet. Car, encore que nous soyons bien persuadés – au moins d'une façon toute théorique – du caractère indispensable et sacré de la *lectio divina*, pratiquement nous sommes peut-être parvenus à une désaffection, ou du moins à un certain essoufflement…

Chaque matin, tu te mets à ta table ; tu lis des commentaires, mais finalement tu n'as pas trouvé ton compte… Tu n'as pas reçu le « coup de foudre », tu n'as pas vu jaillir l'étincelle, tu n'es pas parvenu à l'enthousiasme qui soulevait un Ambroise de Milan, un Augustin, un Jérôme. Sans avoir le génie ni le charisme exceptionnel des Pères, il *faut* pourtant que la *lectio* parvienne à une sorte d'état de grâce ; Cassien parle d'une « prière de feu » : il existe aussi une « lecture de feu », et tu dois l'ambitionner, parce que tu en es capable (*capax*) !

Mais alors d'où vient cette sensation d'échec et de routine ? De ce que tu n'as pas encore vraiment *rencontré* l'Écriture d'une façon *personnelle*. La lecture en effet n'est pas passivité ; la lecture – et la *lectio divina* plus que tout autre – est un *acte* ; c'est un *travail*, et même un travail agricole ! Si la *lectio divina* ne t'a pas encore captivé, c'est que tu n'es pas encore devenu un laboureur…

VI

À cœur ouvert

Très bien, diras-tu, mais enfin n'y a-t-il pas quelque pélagianisme à souligner ainsi notre initiative, alors que l'Écriture doit être avant tout écoutée, reçue ? Qu'est-ce que cet étrange activisme ?

Expliquons-nous donc davantage. Pour que la *lectio divina* soit vraiment un acte, pour qu'elle s'épanouisse comme telle, il faut, au principe de tout le processus, une disposition non d'inertie, de farniente intellectuel et spirituel, mais de *réceptivité*, d'éveil, d'ouverture.

Ouverture : voilà bien le mot clef ! Pour faire ta *lectio divina*, il faut certes que le livre soit ouvert devant toi ; mais il faut aussi qu'au même instant ton cœur soit ouvert en toi... Il faut que tout ton être soit ouvert.

L'homme biblique est un homme éminemment ouvert. Nous avons là une constante de l'anthropologie spirituelle qui se dégage de la Bible, et partant, un modèle de ce que nous devons devenir. Tout, dans l'homme biblique, est ouvert :

L'oreille :

Tu m'as ouvert l'oreille (Ps 40, 7).

Il éveille chaque matin, il éveille mon oreille
pour que j'écoute comme un disciple (Is 50, 4-5).

Les yeux :

Ouvre mes yeux : je regarderai
aux merveilles de ta Loi (Ps 119, 18).

Tes yeux verront Celui qui t'instruit (Is 30, 20).

Le cœur :

Aujourd'hui si vous écoutiez sa voix !
N'endurcissez pas votre cœur… (Ps 95, 7-8).

Nous étant assis, nous adressâmes la parole aux femmes qui
s'étaient réunies. L'une d'elles, nommée Lydie, nous écou-
tait ; c'était une négociante en pourpre, de la ville de
Thyatire ; elle adorait Dieu. Le Seigneur lui ouvrit le cœur,
de sorte qu'elle s'attacha aux paroles de Paul (Ac 16, 13-14).

L'intelligence :

Alors il leur ouvrit l'esprit à l'intelligence des Écritures
(Lc 24, 45).

Ainsi, quand tu lis, tout doit être ouvert en toi ; tu dois être
tout yeux, tout oreilles, un peu comme ces curieux Vivants
d'Ézéchiel et de l'Apocalypse, « constellés d'yeux par-devant et
par derrière » (Ap 4, 6 ; cf. Éz 1, 5-21). Tous les pores de ton
être spirituel doivent alors s'ouvrir, comme ceux d'une éponge,
pour recevoir la plénitude de l'océan. Épanouis-toi dans les
profondeurs sous-marines de l'Écriture comme dans ton élément vital, et là, regarde ces « merveilles de Dieu dans les
profondeurs » – *mirabilia eius in profundo* » (Ps 105, 24 Vulg.).

Et la bouche ! Nous l'avions oubliée… Il faut l'ouvrir lar-
gement elle aussi, pour la manducation et la louange :

Ouvre large ta bouche, et Je l'emplirai (Ps 81, 11).

J'ouvre large ma bouche et j'aspire,
avide de tes commandements (Ps 119, 131).

Seigneur, ouvre mes lèvres,
et ma bouche publiera ta louange (Ps 51, 17).

Ephphata ! Ouvre-toi ! (Mc 7, 34). Ouvre donc tous tes sens spirituels. Ouvre les yeux : l'Écriture est lumière ; ouvre les oreilles : l'Écriture est musique ; ouvre la bouche : l'Écriture est eau vive.

VII

Homo biblicus

Ainsi ouvert, disponible, réceptif, tu es à pied d'œuvre pour entrer en action, pour entrer « en travail ». Car encore une fois la *lectio divina* est action et travail ; un acte extrêmement riche et complet qui mobilise, sous la grâce, toutes les ressources, toutes les dimensions, toutes les puissances, toutes les énergies de la personnalité humaine et spirituelle. « Il faut aller à la vérité de toute son âme », disait Platon ; de même il faut aller à la Parole, au Texte, non pas du bout des lèvres ou avec des yeux distraits, mais tout entier : c'est une *rencontre personnelle*.

Énumérons ces différentes puissances que la *lectio* mobilise. Tout d'abord bien sûr l'*intelligence*, illuminée par la vertu théologale de foi et soutenue par les dons d'intelligence, de science, de sagesse. Ne perdons pas de vue l'étymologie qui fait dériver *intelligere* de *intus-legere*. *Legere intus* : lire à l'intérieur du Texte bien sûr, mais aussi lire depuis l'intérieur de soi-même (*ab intus*) ; le centre de la vue est ici moins le nerf optique que « les yeux illuminés du cœur » (cf. Ép 5,18) !

La *volonté* : la vérité que nous inculque la Révélation est d'ordre éminemment pratique ; en lisant, nous devons avoir le

« cœur prêt » (Ps 108, 2 ; Ps 119, 60), entretenir le ferme propos d'accomplir ce que nous lisons. Pour reprendre la terminologie des anciens Pères, la « vie théorique » est indissociable de la « vie pratique[1] ». À propos des pèlerins d'Emmaüs, saint Grégoire le Grand écrit : « En écoutant les préceptes de Dieu, ils ne furent pas illuminés ; en les accomplissant ils furent illuminés, parce qu'il est écrit : Ce ne sont pas les auditeurs de la Loi qui sont justes au regard de Dieu, mais ce sont ses exécutants qui seront justifiés (Rm 2, 13)[2]. La véritable exégèse de l'Écriture doit aboutir à la sainteté ; c'est le critère de son authenticité.

Mais généralement, dans notre revue des puissances concernées par la *lectio divina*, nous nous arrêtons, – du moins en pratique – aux puissances « supérieures », à l'intelligence et à la volonté. C'est là une réduction indue ! C'est oublier que l'« Huile excellente » doit descendre sur le « col de la tunique » et la « Rosée de l'Hermon » jusque dans la plaine[3]. L'échec de la *lectio divina* vient peut-être de ce que nous nous en faisons une conception trop cérébrale et intellectualisante, alors que la Bible doit investir toutes les dimensions de notre être ! Et ici les plus humbles ne sont pas les moins précieuses : c'est par elles, bien souvent, que les plus hautes pourront être gagnées, évangélisées.

Avons-nous suffisamment songé à l'importance capitale de la *mémoire* qui doit être abondamment meublée et rassasiée de l'Écriture ? À cette fin, il convient de l'exercer et de l'entretenir. Dans la mesure où la mémoire possède de riches ressources, la capacité « midrashique » dont nous parlerons plus loin devient naturelle et spontanée.

---

1. ORIGÈNE, *Chaîne palestinienne* « sur le Ps CXVIII », *47* (*SC* 189), p. 268. MAXIME LE CONFESSEUR, *Centuries théol.* II, 40, 51, 72, 74, 94 (*PG* 90, 1144, 1148, 1157, 1160, 1169) ; trad. dans *Philocalie*, 6, Bellefontaine, 1985, p. 110, 112, 117, 123.
2. GRÉGOIRE LE GRAND, *Hom. in Evang.* XXIII, 2 (*PL* 76, 1183).
3. Cf. Ps 133, 2-3.

Et il y a encore l'*imagination* et la *sensibilité* ! Pourquoi ne les laisserait-on pas, elles aussi, se remplir de la Bible ? La Bible ne nous offre pas simplement des catégories spéculatives ou éthiques : elle est prégnante de catégories esthétiques, d'une incomparable poésie, d'un monde d'images. Tout cela doit nous habiter, à tel point que se forme en nous une sorte d'inconscient biblique. Nous ne devrions jamais considérer les beautés de la création sans qu'immédiatement monte en nous un chant emprunté à l'Écriture ; nous ne devrions jamais rien voir ni entendre ni ressentir hors des schèmes qui constituent en profondeur l'homme de la Bible[4]. La familiarité avec les scènes et les figures bibliques doit stimuler en nous un inépuisable pouvoir d'évocation, éveiller à l'infini des « correspondances », bref, aboutir à une culture biblique totalisante, non pas strictement abstraite et livresque, mais vivante, frémissante, expérimentale.

La Bible parle à tout l'homme et c'est l'homme entier qui doit s'appliquer à la lire. Cette lecture, totalisatrice et récapitulatrice de tout le riche et délicat faisceau des puissances humaines, construit en nous l'« homme nouveau » qui est un *homo biblicus*. La Bible est notre élément, notre univers adéquat, notre bienheureux jardin planté par la main de Dieu : il faut l'habiter en plénitude et y enfoncer toutes nos racines.

---

4. JÉRÔME, *Lettre* 53, « à Paulin », 10, Belles Lettres, t. 3, p. 23.

VIII

« Mange ce livre ! »

Tout à l'heure nous te demandions : « As-tu vraiment faim ? » C'était la question préalable à la *lectio*. Mais une fois achevé le temps journalier consacré à la *lectio*, il faudrait que tu puisses répondre toujours affirmativement à cette autre question : « Aujourd'hui, ai-je vraiment mangé le Livre ? » C'est l'Écriture elle-même qui, dans un passage d'Ézéchiel repris par Jean dans l'Apocalypse, nous suggère une telle question :

> Il me dit : « Fils d'homme, ce qui t'est présenté, mange-le ; mange ce volume [...] ». J'ouvris la bouche et il me fit manger le volume. Puis il me dit : « Fils d'homme, nourris-toi et rassasie-toi de ce volume que je te donne ». Je le mangeai et, dans ma bouche, il fut doux comme du miel (Éz 3, 1-3 ; cf. Ap 10, 8-11).

La *lectio divina* est très exactement une manducation de la Parole du Seigneur. Mais qui dit « manducation » sous-entend toute la fonction nutritive dont la manducation n'est qu'une étape initiale, suivie d'autres étapes qui composent avec elle tout un processus complexe. La fonction naturelle de nutrition, pour s'accomplir de façon saine, suppose une régulation, une diététique, une ascèse. Tous les éléments de cette analogie se retrouvent dans la *lectio divina* qui, intégralement comprise, n'est rien d'autre que la fonction nutritive de notre organisme surnaturel.

La *lectio divina*, dès lors, ne se borne pas à une simple nutrition : le volume, après être entré dans la bouche, doit poursuivre son chemin jusqu'au cœur de l'homme. La *lectio divina*, par conséquent, consiste à digérer le Livre, et comme toute digestion, c'est un processus d'assimilation totale de l'aliment à la substance du vivant qui se l'intègre et en retire tous les sucs, toutes les vertus, pour opérer sa croissance et sa conservation.

Toute *lectio divina* qui n'a pas pour résultat cette assimilation vivante, personnelle, du Livre à notre vie, souffre à quelqu'une de ses étapes d'un vice fonctionnel. Les commentaires de l'Écriture dont nous nous aidons pour accéder à une intelligence savoureuse du texte n'ont pas d'autre rôle que celui d'adjuvants dans ce processus de digestion. C'est pourquoi leur choix et leur équilibrage sont si importants. Des commentaires qui ne nous feraient qu'une tête bien pleine demandent que l'on compense leurs lacunes par d'autres, plus spirituels, quand ils ne demandent pas qu'on les abandonne parfois tout simplement. On ne soulignera jamais assez, à cet égard, la « grâce » propre des grands commentaires patristiques qui accommodent de façon incomparable l'aliment scripturaire, parce qu'ils en extraient pour ainsi dire immédiatement la moelle spirituelle, pratique et contemplative.

Mais vient une heure où les commentaires eux-mêmes, si riches et profonds soient-ils, doivent céder la place au seul silence dans lequel s'achève et se parfait l'écoute de la Parole. Les commentaires d'ailleurs, s'ils sont vraiment de grande tenue, assumeront tout naturellement ce rôle discret de « pédagogues » : ils nous guideront, ils nous accompagneront un certain temps sur la route, puis ils nous laisseront seuls, dans l'intimité du Seigneur seul, car la *lectio divina* doit normalement nous conduire à la béatitude de Moïse dont il est dit que « le Seigneur lui parlait face à face comme un homme parle avec son ami » (Ex 33, 11). Nous devons être toujours hantés par un grand désir de voir « Celui qui nous instruit » (cf. Is 30, 20).

Deux versets de psaumes expriment à merveille – et de surcroît avec une saisissante concision – le terme idéal de notre *lectio divina* :

La Loi de son Dieu est dans son cœur (Ps 37, 31).

Ta Loi me tient aux entrailles (Ps 40, 9).

En hébreu, ces deux versets sont encore plus ramassés, et donc plus propres à devenir une sorte de maxime :

T^{b}orat^b-Elohayw b^{e}libbô

T^{b}orat^{b}k^{b}a b$^{et^b}$ôk^b mé'ay.

Ce « au milieu » – *b$^{et^b}$ôk^b* – nous renvoie à d'autres textes tels que ceux-ci :

Il est grand, au milieu de toi, le Saint d'Israël (Is 12, 6).

Voici que je viens pour habiter au milieu de toi ! (Za 2, 14).

Oui, « mange le Livre ! » Mange-le, digère-le, et qu'il parvienne lentement jusqu'à ton cœur, au milieu de toi ! L'aboutissement de cette bienheureuse manducation et de la digestion qui la suit, l'aboutissement de la *lectio divina*, c'est une sorte de circumincession du cœur de l'homme et de la *Thorah* de Dieu : *T^{b}orat^b-Elohayw b^{e}libbô…*

Ne pourrions-nous pas tirer quelque leçon du petit dialogue suivant entre un rabbin et son disciple :

Un disciple vint voir son maître qui lui demanda :
« Qu'as-tu appris ? »
Le disciple répondit : « J'ai traversé trois fois le Talmud »,
et le maître lui dit : « Mais est-ce que le Talmud t'a traversé ? »

Nous avons traversé déjà peut-être plusieurs fois la Sainte Écriture ; mais la Sainte Écriture nous a-t-elle traversés ?

IX

Symphonie
pour un prodigue

C'est tout entier qu'il faut aller au texte, avons-nous dit ;
c'est au texte tout entier qu'il faut aller, disons-nous
maintenant. Les deux assertions sont complémentaires. Tota-
lisation du côté du sujet comme du côté de l'objet : là réside le
secret d'une *lectio divina* vraiment pleine : lire, en y apportant
sa propre totalité personnelle, *la totalité du texte*.

Mais qu'entendre par « totalité du texte ? » Quelle que soit la
page de l'Écriture sur laquelle nous arrêtions notre lecture,
toutes les autres pages devraient nous être présentes dans une
sorte de simultanéité, de vision intuitive immédiate. Alors que
l'exégèse scientifique s'attache à situer chaque livre, chaque
écrit, chaque péricope, dans son cadre historique, la *lectio
divina* fait éclater toutes les cloisons chronologiques ; elle
reconnaît partout, au même titre, une seule et même Parole ;
tout est maintenant, immédiatement Parole ; avant toute opéra-
tion de division, elle appréhende une unité, une composition.

Lorsque le grand frère grincheux approcha de la maison
paternelle où l'on festoyait pour le retour du prodigue, il en-

tendit, nous rapporte l'Évangile, une « symphonie » (*èkousen symphônias*, Lc 15, 25). Faisons un peu d'exégèse allégorique. Qu'est-ce que cette symphonie ? C'est justement l'Écriture ! Dès lors, se mettre à la *lectio divina*, c'est aller au concert ! Nous allons écouter la « symphonie concertante » que les Patriarches, les Prophètes, les Sages, les Psalmistes, les Apôtres ont composée pour la réception solennelle de ce prodigue que nous sommes, chacun de nous. Écoute : un thème fait son entrée dans la Genèse ; il sonne à nouveau dans le libretto du Cantique ; il triomphe dans l'accord final de l'Apocalypse... Et tu voudrais faire ta *lectio divina* en déchiffrant misérablement quelques notes, au ras de la partition ? Certes, il y a un temps pour diviser, pour déchiffrer, mais ensuite il faut composer, il faut écouter la symphonie : impossible de lire l'Écriture sans être musicien ni mélomane, au moins un peu ! Écoute la plénitude océane de la Bible dans le creux de chaque verset comme dans le creux d'un coquillage ; parfais sans cesse tes capacités acoustiques ; exerce-toi à discerner et à goûter les accords, les harmonies, les dissonances mêmes, car il y en a ! Écoute : la voix du Verbe, nous dit Jean dans l'Apocalypse, est comparable à la « voix des grandes eaux » (Ap 1, 15 ; 14, 2). Il n'est pas indifférent qu'en hébreu le mot *megillah* (rouleau du livre, Ps 40, 8) et le mot *gallim* (flots de la mer) appartiennent à la même racine : *galal*. Écoute simultanément la multitude vocale. Notre temps a inventé des chaînes stéréophoniques de « haute fidélité » pour écouter la musique ; tel est exactement le mode d'audition que tu dois cultiver : écouter la Bible en stéréophonie !

X

Le laboratoire du cœur

Certes, l'Écriture ne manifeste pas toujours dès l'abord le caractère symphonique de sa composition, la complexité de son architecture ; la perception de l'harmonie fondamentale, du nombre d'or, exige éducation et exercice, travail constant d'affinement. Pour rencontrer le Texte dans sa plénitude concertante, nous avons besoin d'une faculté d'un genre très particulier, cheville ouvrière indispensable de toute exégèse spirituelle et nourrissante ; baptisons-la « fonction midrashisante ».

Qu'est-ce à dire au juste ? Le midrash désigne d'abord un procédé bien précis d'exégèse familier à la tradition rabbinique ; il consiste, en partant d'un texte, à lui rattacher une constellation d'autres textes et d'autres scènes bibliques, avec une liberté souveraine, une fantaisie, une désinvolture même qui surprend notre mentalité rationaliste et cartésienne, mais qui a aussi l'incomparable mérite de révéler le chant interne de l'Écriture. Les mots, les versets, les personnages, tout se met à danser !

Une telle « méthode » d'exégèse, du reste, n'est point l'apanage exclusif de la tradition juive. N'est-ce pas aussi, bien souvent, quoique dans une perspective évidemment différente, le procédé de l'exégèse patristique ? La mentalité allusive et associative se trouve en effet au principe de toute intelligence typologique de l'Écriture. Nous avons là en somme une sorte de bien commun de la culture antique (et médiévale !) dont notre âge moderne a perdu le sens, mais dont les impasses du rationalisme stérile lui ont rendu la nostalgie. Quant à la clef d'une telle exégèse, la tradition de l'Église nous l'a donnée : c'est le mystère du Christ[1].

Le mot « midrash » provient d'une racine hébraïque דרש, signifiant à la fois « scruter », « questionner », « consulter » (Yahvé dans un sanctuaire par exemple). La richesse sémantique du verbe *darash* nous permet alors de cerner de plus près notre notion de « fonction midrashisante ». Nous voyons apparaître en effet l'importance d'une attitude questionnante, interrogatrice, face au Texte sacré. C'est l'attitude que le Nouveau Testament lui-même nous recommande à travers le verbe grec *éraunan*, employé curieusement en deux endroits qui ne sont pas sans rapports avec la *lectio divina* ; Jn 5, 39 : « Scrutez les Écritures », dit Jésus – 1 P 1, 11 : « Ils ont cherché à découvrir, dit Pierre à propos des Prophètes, quel temps et quelles circonstances avait en vue l'Esprit du Christ qui était en eux, quand il attestait à l'avance les souffrances du Christ et les gloires qui les suivraient. » De façon très significative, c'est encore le même verbe qui revient sous la plume de Paul lorsqu'il nous dit que « l'Esprit scrute tout, même les profondeurs de Dieu » (1 Co 2, 10). Et de fait l'Esprit Saint est la Personne immédiatement intéressée par cette fonction questionnante et scrutatrice que la *lectio divina* met en œuvre. L'exégèse midrashisante est une exégèse à laquelle préside l'Esprit-Scrutateur. L'Esprit Saint est le grand initiateur du midrash ; de la superficie de la lettre, il nous entraîne, lui, le vivificateur, au plus profond des eaux vives du Sens.

---

1. « Jésus Christ, que les deux Testaments regardent, l'Ancien comme son attente, le Nouveau comme son modèle, tous deux comme leur centre », PASCAL, *Pensées*, éd. H. Massis, 1935, p. 329.

La faculté midrashisante s'autorise encore d'un autre grand texte néo-testamentaire qui, s'il ne concerne pas directement la lecture de la Parole de Dieu, la présuppose évidemment, car Celle dont il est question entretenait avec les Écritures une exceptionnelle familiarité. « Marie, nous dit Luc, conservait avec soin toutes ces choses, les méditant dans son cœur » (Lc 2, 19). Les deux verbes employés ici par l'évangéliste (*sym-balleïn, syn-tèreïn*) contiennent tous deux la même idée de confrontation, d'assemblage, d'association, de comparaison. L'attitude intérieure de Marie face aux événements où elle savait découvrir sans cesse l'accomplissement des Écritures, nous suggère alors à nous aussi une méthode de lecture : associative, comparative, sym-bolique (*sym-balleïn*). C'est encore et toujours notre fonction midrashisante. La véritable *lectio divina* exige que nous fassions nôtre de façon vraiment habituelle (c'est-à-dire comme un « habitus ») l'attitude mariale, l'attitude de celle qui « confronte et rassemble toutes choses dans le dépôt de son cœur », selon une traduction assez littérale de Lc 2, 19. Marie, en « midrash » permanent, est de ce fait l'initiatrice et le modèle de toute lecture de la Parole qui met en œuvre la fonction midrashisante. À son école, nous découvrons comment toutes les avenues de l'Écriture se croisent et convergent vers un cœur qui est tout ensemble le cœur de l'Écriture, le cœur de Marie et le cœur de l'Église. L'intelligence de l'Écriture ne nous est accessible que dans cette « vigie », dans ce centre, dans le cœur de l'Église-Exégète qui, après Marie et avec Marie, rapporte toutes les parties de la Révélation biblique à leur point focal : l'événement christique[2]. Dans la mesure où elle nous fait ramasser, ressasser toutes choses, notre *lectio divina* est un exercice marial.

---

2. « Ainsi donc, que par la lecture et l'étude des Livres saints (…) le trésor de la Révélation confié à l'Église comble de plus en plus le cœur de l'homme », VATICAN II, constitution *Dei Verbum*, § 26. Cf. H. URS VON BALTHASAR, *La prière contemplative*, p. 26-29.

XI

Concordance

Mais comment ferais-je, dis-tu, cet incessant travail de comparaison, cet incessant midrash ? Je n'ai pas beaucoup de mémoire et je ne retrouve pas les références des textes...

D'une façon toute matérielle déjà – mais il faut se garder de la sous-estimer ! – tu peux t'aider de ce genre de gros ouvrage très savant et très utile qui porte le beau nom de « Concordance ». À partir d'un mot, tu pourras alors rattacher un texte à tel autre, puis à tel autre encore, et cela t'entraînera dans d'interminables et délicieuses promenades à travers le jardin des Écritures. « Con-condance »... Ne retrouvons-nous pas là-dedans le « cœur » évoqué plus haut ? L'usage d'une Concordance en effet ne devrait pas avoir d'autre fin que de nous aider dans notre marche vers le cœur de l'Écriture. Mais un jour, lorsque tu auras acquis, par l'exercice persévérant de ta mémoire et de toutes tes facultés sans doute, mais surtout par un don d'en haut, une connaissance familière des avenues du jardin, une dextérité « rhapsodique [1] », tu pourras laisser la

---

1. « Au milieu de ce qui est obscur, il faut que nous allumions une lampe. Quelle lampe ? Celle des vierges sages, dont l'huile est la foi et la bonne

Concordance dormir sur les rayons de la bibliothèque, ou du moins ne la réveiller que de temps en temps, pour ne plus écouter que la Concordance subsistante, l'Artisan de toutes les symphonies, Celui qui a « la science de la voix » comme le dit le livre de la Sagesse[2], l'Esprit Saint auquel la tradition latine donne le nom de *mutua Connexio*, de Lien mutuel. C'est Lui surtout qui t'initiera magistralement à toutes les correspondances du Livre saint, t'en fera percevoir les accords les plus subtils. C'est là du reste comme son rôle propre, sa mission très spécifique auprès de nous, ce pour quoi le Fils nous l'a donné. Il n'est que de rappeler ici deux textes importants du Discours après la Cène : « Il vous *conduira* jusqu'à la vérité tout entière » (*hodègèseï eïs*, Jn 16, 13). « Il vous *rappellera* tout ce que je vous ai dit » (*hypomnèseï hymas*, Jn 14, 26). Tout comme le Fils est l'« Exégète » du Père (*exègèsato*, Jn 1, 18), l'Esprit à son tour est « Celui-qui-conduit » au Fils, l'Introducteur. Il remplit cette mission en agissant d'une façon toute particulière sur notre mémoire. Notre fonction midrashisante ne peut entrer en exercice que moyennant le rôle « anamnétique » de l'Esprit Saint, c'est-à-dire la vertu que l'Esprit Saint possède de rappeler à notre mémoire les paroles de Jésus Christ.

D'où vient dès lors l'échec, l'essoufflement dont est victime notre *lectio divina*, sinon peut-être d'un manque de docilité au Maître intérieur du midrash, à l'Esprit Saint ? D'une sorte d'attitude timorée, d'un manque de confiance, d'un manque de liberté ? N'avons-nous pas déjà tout en nous pour que notre lecture porte fleurs et fruits ? Le Don ne nous a-t-il pas été fait ? Dans une pleine soumission, dans une pleine ouverture à l'Esprit, il nous faut alors tirer de notre fonds, les facultés, les ressources qui y sommeillent, extraire le trésor caché, faire l'essai de cette Mémoire vivante qui vient sans cesse au secours de notre faiblesse. *Veni, Sancte Spiritus*, « Viens, Esprit

---

volonté et la mèche faite de plusieurs fils tordus, l'étude et le rapprochement des textes », P. CLAUDEL, *Introduction au livre de Ruth*, p. 113, note.

2. Cf. Sg 1, 7.

Saint », demandons-nous à genoux avant de commencer notre *lectio divina*. Si seulement, sortant de notre routine et de notre distraction, nous réalisions ce que cela veut dire ! Il n'y a pas lieu de craindre la sécheresse ou l'ennui dans notre lecture, si vraiment nous avons avec nous, en nous, le Don, l'Introducteur, Celui qui est tout à la fois l'Auteur de l'Écriture et son Interprète. Faire sa *lectio divina*, c'est être seul avec l'Esprit Saint devant le Livre ouvert, devant une page blanche aussi, parfois, pour y transcrire la rhapsodie suggérée.

« Là où est l'Esprit de Dieu, là est la liberté » (2 Co 3, 17). Laisse alors l'Esprit t'emmener très loin, de correspondances en correspondances, indéfiniment, à travers la « forêt des symboles », à travers le temple des Écritures qui, comme celui de la Nature dont parle le poète, repose sur de « vivants piliers »… Écoute le Maître divin du midrash t'instruire de rapprochements insoupçonnés, non seulement de toi, mais peut-être même de tout autre jusqu'à ce jour. L'Esprit n'est-il pas libre en effet de te révéler à toi, personnellement, aujourd'hui, dans le secret, quelque chose d'inouï ; de te faire apercevoir dans la Cité cohérente des Écritures, « *cuius participatio eius in idipsum* » (où tout ensemble ne fait qu'un, Ps 122, 3 Vulg.), une proportion, une perspective jusque-là ignorée ; de te découvrir un trait de cette beauté multiforme que l'Architecte y a répandue ? Use de la liberté de l'Esprit dont le Christ t'a gratifié ; sois inventif ; sois poète ; réalise pour de bon le rêve extravagant de Rimbaud : « J'ai tendu des cordes de clocher à clocher, et je danse ! » Chant toujours nouveau et danse devant l'Arche : c'est à cet épanouissement que devrait nous conduire notre *lectio divina*, pour que nous y trouvions l'une des joies les plus enivrantes et les plus pures peut-être que réserve la vie monastique. Non, il ne faut pas craindre d'être trop heureux en lisant l'Écriture. N'est-elle pas désignée elle aussi par le centuple promis par le Christ à ceux qui le suivent ?

XII

Creuse le puits, gravis l'échelle !

$\mathcal{E}$t puisque nous avons entrepris l'apologie d'une lecture midrashique de l'Écriture, amusons-nous à mettre immédiatement en application cette méthode sur le sujet précis qui nous intéresse : deux épisodes de la Genèse, interprétés comme deux paradigmes complémentaires, vont nous aider à pénétrer plus avant dans notre enquête sur la nature et les procédés de la véritable *lectio divina*.

Sur le patriarche Isaac, la Bible se montre beaucoup plus avare d'anecdotes et de récits que sur les deux émules qui l'encadrent, Abraham et Jacob. Nous le connaissons surtout par « voie passive », à travers l'épisode du sacrifice dont il était la victime désignée. L'Écriture nous rapporte pourtant à son sujet un trait auquel un Origène n'a pas manqué de faire attention : Isaac fut un creuseur de puits... Au sens littéral déjà, certes, la chose est d'importance : l'eau a tant de prix dans le pays biblique ! Mais notre Père Isaac, le puisatier, nous a appris, ce faisant, bien autre chose encore : à nous mettre en peine de trouver et de boire l'eau vive dont la Samaritaine sollicitera un jour le don auprès de Jésus. Oui, notre Père Isaac, en fouillant la steppe, s'est fait notre modèle et notre maître ès *lectio divina*! Citons Origène, dans son Commentaire sur la Genèse :

> Quiconque d'entre nous administre la Parole de Dieu creuse un puits et cherche de l'eau vive dont il puisse réconforter ses auditeurs. Si donc je me mets, moi aussi, à expliquer les paroles des anciens, si j'y cherche un sens spirituel, si j'essaie d'enlever le voile de la loi et de montrer que ce qui est écrit a un sens allégorique, pour ma part je creuse des puits [...] Si nous sommes serviteurs d'Isaac, aimons les puits d'eau vive et les sources [...] Ne cessons jamais de creuser des puits d'eau vive ! [...] Creusons au point que les eaux du puits débordent sur nos places publiques, pour que la science des Écritures ne nous suffise pas à nous seuls, mais que nous enseignions les autres et les instruisions, pour que boivent les hommes, et que boivent aussi les troupeaux [1].

Nous parlions tout à l'heure de chant et de danse ; mais chant et danse sont au prix d'un labeur, et c'est là justement la leçon que nous donne Isaac ! Plus haut déjà nous avions défini la *lectio* comme un travail ; David nous apprenait à danser devant l'arche ; Isaac, lui, met en nos mains la pioche et le foret... La *lectio* exige un effort sérieux, ce que les Grecs appellent *ponos*. Elle tient simultanément de deux autres activités majeures de notre vie : de la psalmodie liturgique, notre « danse » devant l'Arche, et... du travail manuel ! Dès lors qu'elle met en œuvre nos facultés intellectuelles, la *lectio divina* est un labeur, et partant, elle implique la « peine » inhérente à tout labeur de l'esprit, car on n'en finirait pas d'expliciter l'analogie profonde en vertu de laquelle labeur des mains et labeur de l'esprit fraternisent, non seulement dans leur caractère général, mais jusque dans leurs méthodes.

La disposition dans laquelle nous devons aborder l'étude du texte sacré, c'est, avant tout le reste, la conscience d'une insondable profondeur qui arrachait ce cri à saint Augustin :

---

1. ORIGÈNE, *Homélie XIII sur la Genèse* (chap. 26), 3 et 4, *SC* 7bis, p. 319-321, trad. L. Doutreleau.

Profondeur admirable de tes paroles ! Voici leur surface devant nous, attrayante pour les tout-petits. Profondeur admirable pourtant, ô mon Dieu, profondeur admirable ! On frémit de s'y pencher ; on frémit de révérence et l'on frémit d'amour[2].

Quel que soit le verset dont nous entreprenions l'investigation, l'eau vive est cachée sous nos pas et il faut nous mettre en peine de creuser le puits qui nous permettra de l'atteindre. De quelques coups de bêche, nous dégagerons le sable, puis le gros gravier de la lettre ; mais pour descendre plus profondément, nous avons besoin d'un instrument beaucoup plus puissant... Nous avons besoin de l'Esprit « qui scrute les profondeurs » (1 Co 2, 10) et qui libère les eaux vives...

Il envoie son Souffle : les eaux coulent (Ps 147, 18).

Descente progressive et laborieuse vers les profondeurs du Sens, la *lectio divina* tient du forage à travers les couches géologiques et de la spéléologie ; elle nous conduit de la croûte terrestre aux roches métamorphiques, et jusqu'au noyau incandescent, jusqu'au cœur, car la Parole est à la fois Eau et Feu. À mesure que nous avançons en profondeur, le « degré géothermique » augmente et se communique à notre cœur qui cherche. « Au cours de ma méditation un feu s'allume » (Ps 39, 4 Vulg.). Telle est donc la lecture que nous devons pratiquer à l'école d'Isaac le puisatier, le mineur : une lecture « abyssale ». Au seuil de chaque verset le Seigneur nous invite comme Zachée : « Descends vite ! » (Lc 19, 5).

Et maintenant, au tour de Jacob de nous instruire ! L'épisode très mystérieux de l'Échelle (Gn 28, 10-22) nous est familier ; le Nouveau Testament en inaugure l'interprétation christologique (Jn 1, 51) ; la tradition spirituelle et monastique en fait une lecture morale et ascétique (règle de saint Benoît au chap. VII, saint Jean Climaque) ; la liturgie applique ce texte à la dédicace des églises. Mais pourquoi ne pas y découvrir encore une autre signification ? L'Échelle de Jacob – selon une dimension inverse du Puits d'Isaac, puisqu'il s'agit cette fois non de

---

2. AUGUSTIN, *Confessions*, L. XII, XIV, 17, *BA* 14, p. 367.

descendre, mais de monter – constituerait alors un paradigme d'ordre herméneutique : modèle d'une lecture « ascensionnelle » de l'Écriture.

Étudier un passage de l'Écriture, c'est gravir une échelle. La « fonction midrashisante » définie plus haut fait intervenir en effet toute une série d'instruments hiérarchisés qui, loin de s'exclure mutuellement, se conjuguent pour nous faire parvenir à une perception du sens aussi riche et plénière qu'il est possible. Nous commencerons avec la grammaire et la philologie, nous poursuivrons avec l'archéologie et l'histoire ; nous irons plus loin avec la théologie biblique ; nous parviendrons plus haut encore avec la théologie dogmatique et spirituelle, et finalement, portés par « les ailes de la Colombe » (Ps 55, 7) nous nous envolerons vers les régions de la prière contemplative qui s'achèvera elle-même dans le silence. Tels sont à peu près les barreaux de notre échelle ; il n'existe point entre eux incompatibilité, mais complémentarité. Le drame des études bibliques depuis le Siècle des Lumières environ jusqu'à nos jours, tient sans doute au fait que bien des exégètes ont perdu ce que nous appellerions volontiers le sens « scalaire », c'est-à-dire la conscience claire de ce que l'échelle de l'exégèse a plusieurs barreaux et de ce que chaque barreau occupe sur l'échelle sa place propre : en bas, les disciplines scientifiques auxiliaires de l'exégèse (philologie, critique textuelle, histoire des civilisations, etc.), plus haut la théologie, et au sommet la « prière de feu » dont parle Cassien, dans laquelle l'Esprit Saint nous gratifie d'une sorte d'intuition immédiate du Sens. Et il importe de souligner que le Seigneur est souverainement libre de nous faire sauter des barreaux ; il n'est pas nécessaire, Dieu merci, de faire indéfiniment antichambre dans la critique textuelle ou dans l'archéologie pour entrer dans les mystères de l'Écriture ! Comme à l'invité réservé et discret de la parabole, le Seigneur nous dit : « Mon ami, monte plus haut » (Lc 14, 10). Mais ce n'est pas à dire qu'il faille pour autant mépriser les barreaux inférieurs de l'échelle ; après tout, si l'Écriture peut nous traverser de bas en haut, nous visiter dans toutes nos facultés intellectuelles et spirituelles, y laisser sa trace, les enrichir, n'est-ce pas heureux ? De saint François d'Assise il est dit qu'« il faisait de tout un marchepied vers Dieu ». Nous devons offrir au Verbe toutes les richesses de notre intelligence, tous les domaines de la pensée humaine, un peu comme les Mages lui ont offert l'or, l'encens et la myrrhe. Une simple considération grammaticale ou philologique, du reste, peut nous conduire au seuil de la contemplation : la *lectio divina* est une perpétuelle « acrobatie » entre la grammaire et la « théologie » (selon le sens que les Pères donnaient à ce mot).

Les conquêtes de l'exégèse scientifique moderne n'ont donc point rendu caduque l'exégèse typologique des Pères, non plus qu'au nom de l'exégèse spirituelle on peut s'autoriser à faire fi de tout commentaire philologique ou historique. L'important est de savoir assigner à chaque barreau sa place, son temps, sa fonction, dans une quête dynamique du Sens, et surtout de gravir l'échelle ! Monter, monter toujours jusqu'à « Celui qui nous appelle d'en haut » comme dit saint Benoît[3]. Notre *lectio divina* peut légitimement mobiliser toutes les ressources de l'intelligence, franchir tous les « degrés du savoir » comme disait Maritain, mais demeurant sauve la tension vers le sommet de la montagne, la tension de l'intelligence et du cœur. Plaçons sous notre tête, en guise de chevet, la « Pierre qui est le Christ » (1 Co 10, 4) et laissons-nous porter sur les mains des Anges herméneutes dont il est dit que « d'en haut ils se penchent avec convoitise » sur le message qui nous a été annoncé (1 P 1, 12).

Profondeur et altitude[4] : telles sont les deux dimensions de l'Écriture que nous suggèrent le Puits d'Isaac et l'Échelle de Jacob. C'est finalement, ici et là, la même vérité fondamentale : la bible est un *volume* ; on donnera à ce mot « volume », outre la signification obvie de « livre », une signification géométrique,

---

3. « *Evocatio divina* » Reg. Ben. chap. VII.
4. Il y a comme un principe d'exégèse dans cette réflexion de Bachelard : « Monter et descendre, dans les mêmes mots, c'est la vie du poète », *La Poétique de l'espace*, 1957, p. 139.

en cultivant l'ambivalence sémantique : celle d'espace à trois dimensions. La Bible est un espace à trois dimensions, un « plérôme », sacrement du « plérôme » de l'amour du Christ dont parle saint Paul (Ép 3, 18-19). De ce plérôme, de ce volume de l'Écriture, nous devons inventorier sans fin les dimensions ; qu'est-ce que sa largeur, sinon peut-être son amplitude thématique qui embrasse à la fois le mystère de Dieu et le mystère de l'homme ? Qu'est-ce que sa longueur, sinon la dimension historique, le cheminement pédagogique de la Révélation ? Qu'est-ce enfin que la Hauteur-Profondeur sinon l'équidistance de chaque point de la circonférence par rapport au Centre, la référence de chaque parole du Livre à la Parole unique, exhaustive, définitive, à la Parole salvifique prononcée par le Père une fois pour toute en son Fils (He 1, 1-2), la relativité du plus petit trait, de la plus petite lettre (cf. Mt 5, 18) par rapport à l'Amen vivant qui les signe, les sanctionne et les accomplit ? (cf. 2 Co 1, 20).

XIII

« Je mettrai en vous mon Esprit »

Ce que nous avons appelé « fonction midrashisante » nous est apparu comme le ressort ultime, l'âme même d'une *lectio divina* vivante et créatrice. Nous pouvons désormais faire retour à l'un des thèmes par lesquels nous avions commencé, à savoir la relation personnelle, vivante, qui doit s'établir entre la Parole et nous. Ce point est d'une telle importance qu'il faut y revenir de façon plus développée.

Dès le principe nous avons vu comment il nous incombe de cultiver en nous une mentalité de « destinataires ». Allons plus loin : nous sommes non seulement destinataires (Dieu s'adresse à moi), non seulement matière (Dieu parle de moi), mais sujets vivants, acteurs d'un dialogue (je réponds à Dieu, je parle avec lui, je prononce ce qu'il me dit). Chacun de nous, personnellement, dans l'exercice de la *lectio divina*, entre comme *sujet vivant* dans un dialogue vivant avec la Parole vivante qu'il connaît (au sens biblique), qu'il épouse comme une Forme, c'est-à-dire comme principe de vie, d'unité, de beauté.

Encore faut-il, pour que s'instaure une relation vraiment nuptiale, que nous soyons persuadés à l'intime de nous-mêmes du caractère vivant de la Parole. Une profonde conversion mentale, spirituelle, est ici exigée de nous : passer d'une conception du Livre comme texte (au sens plat, linéaire, superficiel) à une conception du Livre comme Vivant efficace. « Vivante, en effet, est la Parole de Dieu, efficace et plus incisive qu'aucun glaive à deux tranchants » (He 4, 12). « Vous l'avez accueillie, non comme une parole d'hommes, mais comme ce qu'elle est réellement, la Parole de Dieu. Et cette Parole reste active en vous, les croyants » (1 Th 2, 13). Paradoxalement, on pourrait dire qu'il ne faut pas lire le Livre comme un livre ! Tant que nous lisons l'Écriture d'une manière purement livresque, notre lecture n'est pas « divine » (*lectio divina* !) mais humaine et profane. Rappelons-nous que dans l'économie chrétienne le champ de la sacramentalité ne se réduit pas au seul septénaire sacramentel ; l'Écriture est, elle aussi, de façon analogique, sacrement, et partant notre contact avec elle appartient à un ordre « sacramentel ». À travers le plan livresque, scripturaire, littéral (domaine du signe) nous rencontrons la Parole vivante (*res*) ; à travers la parole écrite, nous rejoignons la « Parole parlante ». Cette Parole possède son autonomie, son existence-par-soi ; elle communique à celui qui la touche « vie, mouvement et être » (Ac 17, 28).

Il envoie son Verbe sur terre,
rapide court sa Parole (Ps 147, 15).

De même que la pluie et la neige descendent des cieux
et n'y retournent pas sans avoir arrosé la terre,
sans l'avoir fécondée et l'avoir fait germer,
pour fournir la semence au semeur et le pain à manger,
ainsi en est-il de la Parole qui sort de ma bouche :
elle ne revient pas vers moi sans effet,
sans avoir accompli ce que j'ai voulu
et réalisé l'objet de sa mission (Is 55, 10-11).

Celui qui a la grâce de rencontrer la Parole dans l'idiome humain qui lui a servi le premier d'interprète, l'hébreu, est sans doute mieux prédisposé à entrer dans le mystère de la sacramentalité de l'Écrit, dans cette intime persuasion qu'il a devant lui un Livre qui vit et qui va. Il sait, il sent que les consonnes de la langue sainte, constitutives d'une armature porteuse de Sens, sont là devant lui en attente comme les ossements desséchés devant le prophète Ézéchiel ; comme nerfs et chair, voici qu'accourent les accents et les voyelles : le texte bouge, s'assemble, se construit ; mais bientôt l'Esprit, comme feu et tempête, s'engouffre dans cette ossature consonantique et voici que le Texte entier ressuscite et se dresse comme une armée formidable ! Car le Texte aussi, comme l'homme qui le lit et qui le vit, a été fait « âme vivante » (Gn 2, 7).

Cette lecture – toute midrashique encore ! – du chapitre 37 d'Ézéchiel, rencontre une intuition très profonde de saint Maxime le Confesseur ; au chapitre VI de sa *Mystagogie*, ce dernier développe en effet à propos de l'Écriture l'analogie du vivant humain :

> De même que, selon un mode de contemplation anagogique, l'Église est dite « Homme pneumatique » et l'homme « Église mystique », de même toute la Sainte Écriture prise dans son ensemble est appelée « homme ». L'Ancienne Alliance, c'est le corps ; l'âme, l'esprit, l'intelligence, c'est la Nouvelle. Et voici encore une autre interprétation : la Sainte Écriture dans son entier, c'est-à-dire l'Ancienne et la Nouvelle Alliance, est corps selon la lettre et l'histoire ; mais le Sens (*nous*) de ce qui est écrit, et l'intention (*skopos*) en vue de laquelle le Sens est ordonné, c'est l'âme [...]. Et de même que l'homme que nous sommes est mortel selon les apparences visibles, mais immortel selon ce qui ne se voit point ; de même l'Écriture Sainte selon l'apparence de la lettre comporte un élément transitoire (*proserchomenon*), mais l'esprit caché dans la lettre, lui, ne cesse d'exister.

Maxime cite ensuite 2 Co 4, 16 et applique à l'Écriture ce que l'Apôtre disait de l'« homme nouveau » :

> Voici ce que l'on doit penser et dire aussi de la Sainte Écriture entendue d'une manière tropologique (*tropikôs*)

comme un homme ; plus sa lettre s'efface (*hypochôrei*), plus son esprit abonde (*pléonektei*) [1].

Puisque l'écrit est sacrement de la Parole vive et toujours nouvelle, comment la *lectio divina* se réduirait-elle à un morne exercice livresque, à un jeu intellectuel qui ne laisserait en nous nulle trace profonde sitôt qu'il est achevé ? Il nous faut bien plutôt, en appelant comme Ézéchiel des quatre points cardinaux l'Esprit vivificateur (cf. Éz 37, 9), rencontrer la Parole incarnée : la *lectio divina* est une expérience matinale de résurrection et de vie. Et il n'est pas indifférent que Yahvé demande au prophète d'appeler lui-même l'Esprit sur les ossements, ni que ces derniers ne s'assemblent que sur le commandement d'un « fils d'homme » (Éz 37, 9). Cela signifie que le Texte ne vivra pas pour moi aujourd'hui, que les consonnes desséchées ne se mettront pas à danser devant moi aujourd'hui, tant que je n'aurai pas invoqué moi-même l'Esprit dans une prière personnelle :

C'est pourquoi j'ai prié, et l'intelligence m'a été donnée,
j'ai invoqué et l'Esprit de sagesse m'est venu (Sg 7, 7).

« L'Esprit qui a ressuscité Jésus d'entre les morts » (Rm 8, 11) au matin de Pâques, qui a ressuscité le corps physique de Jésus, est aussi Celui qui ressuscite chaque jour pour nous le Sens d'entre la lettre morte ; Celui qui vivifie chaque jour pour nous cette « incorporation du Logos » qu'est l'Écriture, selon la conception hardie d'Origène. Et cette chose inouïe se produit alors, qu'en nous communiquant la puissance vivificatrice de son Esprit, en la mettant dans notre bouche et dans notre cœur (le « cœur brûlant » qui comprend les Écritures : cf. Lc 24, 32), Dieu daigne nous associer mystérieusement à cette résurrection de son Verbe incarné qu'est le surgissement du sens spirituel d'entre la matérialité de la lettre. Le labeur qui prélude à cette découverte matinale du Sens, le labeur inhé-rent à la scrutation des Écritures, prend dès lors une signifi-cation pascale : l'exégèse (non pas simplement scientifique bien sûr, mais « existentielle ») connaît elle aussi sa croix, mais

1. MAXIME LE CONFESSEUR, *Mystagogie*, VI, *PG* 91, 684 AD.

pour aboutir à la rencontre personnelle du Ressuscité qui, aujourd'hui, chemine avec nous et nous « explique tout ce qui le concerne » (Lc 24, 27).

La lecture de l'Écriture dans l'Esprit même qui l'a composée[2], la *lectio* « divina », c'est donc pour nous être « témoins » (au sens johannique, impliquant collaboration) de la résurrection du Sens. Aussi faut-il, pour que notre *lectio* soit toujours « divine », que nous lisions dans une disposition constante d'« épiclèse », c'est-à-dire que nous invoquions sans cesse l'Esprit, comme Ézéchiel, afin qu'Il vienne vivifier pour nous les ossements de la lettre.

Tu envoies ton Souffle, ils sont créés,
Tu renouvelles la face de la terre (Ps 104, 30).

L'Écriture est notre Terre, notre Jardin ; le Logos est notre Cosmos : et l'Esprit renouvelle pour nous sans cesse la face du Texte, comme il renouvelle la face de la terre ; il exerce son rôle de Vivificateur à la fois dans la création et dans l'Écriture, dans ces deux « livres » que Dieu a donnés à l'homme pour s'y révéler à lui et s'y « rencontrer » avec lui. « Les paroles que je vous ai dites, dit Jésus, sont esprit et elles sont vie » (Jn 6, 63). L'Esprit vient « eucharistier » pour nous la lettre, nous la rendre comestible, nous la proposer comme « pain de la Trinité » (cf. saint Jérôme, *supra*).

« Toute Écriture, nous dit saint Paul, est inspirée par Dieu », « *theopneustos* » (2 Tm 3, 16). « *Théo-pneustos* » : qu'est-ce à dire ? « *Inspirée par* Dieu », oui, sans doute ; mais plus encore, car Dieu ne reste pas extérieur ni lointain par rapport à l'Écriture qu'il a inspirée. « *Théo-pneustos* »... Cela veut dire que Dieu *respire dans* l'Écriture, qu'il y respire toujours ; que le *Pneuma* divin habite aujourd'hui l'Écriture. Oui, Dieu respire dans la cage thoracique des consonnes ! C'est comme si Dieu disait aux lettres mêmes, comme à ceux qui les lisent :

---

2. Cf. JÉRÔME, *Commentaire de l'Épître aux Galates*, 5, 19-21, *PL* 26, 417, cité par VATICAN II, constitution *Dei Verbum*, 12. Cf. GUILLAUME DE SAINT-THIERRY, *Lettre d'or*, 121, *SC* 223, p. 239.

Je mettrai en vous mon Esprit, et Je ferai que vous marchiez... (Éz 36, 27).

L'Écriture vit, l'Écriture marche, pour que Dieu y respire. Cultivons donc en nous cette certitude qu'à travers notre *lectio divina* nous n'allons point à un texte statique, mais à la Parole vivante, agissante, dynamique, motrice et créatrice. L'Écriture doit être véritablement pour nous un véhicule ; elle doit nous emporter, nous transporter. Et c'est ici qu'il y a lieu de citer, quitte à le faire un peu longuement, une page vraiment magistrale de saint Grégoire le Grand ; l'une des pages les plus pertinentes et pratiques qui aient jamais été écrites peut-être sur la *lectio divina* et le rapport à l'Écriture qu'elle implique ; en même temps qu'elle conserve un étonnant accent de modernité, cette page rejoint aussi un thème important de la mystique juive : l'interprétation de la *Merk^{b}aba^b*, du « char de Yahvé » au premier chapitre d'Ézéchiel :

Et quand s'avançaient les Vivants, les roues également s'avançaient, à côté d'eux ; et quand les Vivants s'élevaient de terre, les roues en même temps s'élevaient (Éz 1, 19).

Les Vivants s'avancent quand les saints savent lire dans l'Écriture Sainte ce que doit être leur conduite morale. Les Vivants s'élèvent de terre quand les saints se laissent ravir par la contemplation. Or, plus un saint progresse dans l'Écriture sacrée, plus l'Écriture même progresse avec lui. C'est pourquoi il est exact de dire : « Quand s'avançaient les Vivants, les roues également s'avançaient : et quand les Vivants s'élevaient de terre, les roues en même temps s'élevaient. » C'est que les révélations divines croissent avec celui qui les lit : plus on dirige haut son regard, plus profond est le sens. Les roues ne s'élèvent pas si ne s'élèvent pas les Vivants. Si l'âme du lecteur ne monte pas, les paroles divines, incomprises, restent pour ainsi dire au ras de terre. Quand le texte divin paraît sans chaleur à qui le lit, quand le langage de l'Écriture sacrée ne met pas son âme en mouvement et ne jette aucun trait de lumière dans son intelligence, la roue est inactive et au sol, parce que le Vivant ne s'élève pas de terre. Mais que le Vivant s'avance, c'est-à-dire y cherche des jalons pour son progrès moral, et faisant un pas dans son cœur, découvre comment faire le pas de l'œuvre bonne, alors les roues s'avancent également : vous trouvez à progresser dans le texte sacré à mesure que vous êtes devenus vous-mêmes meilleurs à son contact. Si le Vivant ailé prend son essor dans la contemplation, les roues aussitôt se soulèvent de terre, car vous comprenez qu'elles ne sont pas de la terre, ces réalités qui vous semblaient exprimées dans le texte sacré sur le registre terrestre. Vous en venez à sentir que les mots de l'Écriture sont des mots du ciel, si vous vous laissez enflammer par la grâce de la contemplation et ravir vous-mêmes jusqu'aux réalités de là-bas. L'admirable et indicible vertu du texte sacré se fait connaître quand le cœur de qui le lit se pénètre de l'amour venu d'en haut[3].

De l'allégorie grégorienne de la roue, retenons présentement surtout la conception dynamique de la *lectio divina* dont elle est porteuse. En nous rappelant que « l'Écriture grandit avec celui qui la lit » et que la pénétration de l'exégèse n'a pas d'autre mesure que le progrès moral et spirituel, Grégoire attire notre attention sur une vérité fondamentale : il existe un dialogue, une interférence constante entre *exégèse* (*intellectus*) et *vie* (*gressus cordis*). Nous aurons à y revenir bientôt.

Remarquons pour l'instant qu'avec Grégoire nous n'avons pas quitté Ézéchiel qui, jusqu'à présent, nous a déjà fourni trois paradigmes de la *lectio divina*. Nous pouvons les récapituler :

chap. 3 : la vision du Livre :	la *lectio divina* est une *manducation*.
chap. 37 : les ossements desséchés :	la *lectio divina* est une *résurrection du sens*, dans la docilité du lecteur à l'Esprit.
chap. 1 : le char de Yahvé :	l'Écriture est un « véhicule » ; le *mouvement de l'exégèse est en fonction de celui de la vie.*

Ainsi apprenons-nous, de l'Écriture elle-même, lue de façon midrashique, comment il faut la lire...

---

3. GRÉGOIRE LE GRAND, *Homélie* VII « sur Ézéchiel », 8, *SC* 327, p. 245, trad. Ch. Morel, s.j. Cf. H. de LUBAC, *Exégèse médiévale*, t. I, p. 653-656.

XIV

L'un et l'autre jardin

etenons donc la leçon d'Ézéchiel et de Grégoire le
Grand ; appliquons-nous à abolir toute distance entre
la Parole et notre vie, à vaincre toute résistance à cette Force
qui vit et qui va ; gardons-nous d'établir un cloisonnement
entre une *lectio divina* cérébrale et livresque et toutes les
autres occupations qui font la trame quotidienne et concrète
de notre vie ; notre *lectio divina* n'est pas une activité parmi
d'autres, sans lien organique avec les autres ; c'est bien plutôt
toute notre vie qui doit devenir *un midrash permanent*.

Contact avec la Parole vivante, motrice, créatrice, la *lectio
divina* construit notre personnalité surnaturelle (et naturelle
aussi !) sur tous les plans : en nous communiquant la pensée
de Dieu, elle construit notre univers intellectuel ; en actualisant
pour nous la théophanie du Sinaï, la Pentecôte et le don de la
Loi nouvelle, elle inspire notre agir moral ; mais elle féconde
aussi, comme nous l'avons vu, tout le champ de notre mémoire, de notre imagination, de notre sensibilité. En bref, la
Parole de Dieu, quotidiennement intériorisée, nous construit et
nous crée sans cesse au triple plan spéculatif, éthique et
esthétique, ce dernier étant compris au sens le plus large qui

inclut, bien sûr, les capacités artistiques. Au principe de l'*art* chrétien en effet, comme au principe de la *pensée* chrétienne et de la *sainteté* chrétienne, il y a toujours une profonde assimilation de cet univers esthétique extrêmement riche et complexe qu'est la Bible.

Mais le Dieu qui au commencement a fait toutes choses pour l'homme et a placé l'homme au centre du jardin de la création pour qu'il le gardât, le cultivât et y imprimât comme sa marque une ordonnance (cf. Gn 2, 15), est aussi le Dieu qui a composé l'Écriture pour l'homme et y a placé l'homme, comme au centre d'un autre jardin, pour qu'il le gardât et le cultivât lui aussi en quelque sorte. Et de même que l'homme, par son travail et toute son activité dans l'univers visible, seconde et poursuit l'œuvre créatrice de Dieu, de même, par ce véritable travail qu'est l'exégèse existentielle au milieu des Écritures, il seconde et poursuit pour ainsi dire l'élocution divine. Il y a donc pour l'homme deux livres et deux jardins : la Création et l'Écriture[1] ; la Création est un Livre, comme l'Écriture est un Jardin. Et placé au centre de ces deux jardins, l'homme a la même tâche : une tâche de jardinier... Jardinier de la Nature, jardinier de l'Écriture. Puisqu'il y a deux livres pour l'homme, Création et Écriture, il y a tout naturellement pour lui une activité, voulue et bénie de Dieu, au cœur de ces deux Livres.

Nous avions remarqué plus haut, à propos du chapitre 37 d'Ézéchiel, comment Yahvé associait le prophète de façon instrumentale et active à la résurrection des ossements, en lui communiquant le pouvoir d'invoquer lui-même l'Esprit vivificateur ; le second chapitre de la Genèse nous montre quelque chose de tout à fait apparenté, la même idée de « collaboration » de l'homme avec Dieu : Yahvé conduisit à l'homme toutes les créatures « pour voir comment celui-ci les appellerait », car chacune des créatures « devait porter le nom que

---

1. « En quelque lieu que tu regardes, Son mystère est là ; partout où tu lis, tu rencontres Ses figures », ÉPHREM, *Sur la virginité*, XX, 12, *CSCO,* 223, p. 70.

l'homme lui aurait donné » (Gn 2, 19). Dieu sanctionne le pouvoir nominateur d'Adam comme il sanctionne le pouvoir d'invocation d'Ézéchiel. Eh bien, de même que Dieu conduit à nous toutes ses créatures pour que nous les nommions, il conduit aussi à nous mystérieusement tous les mots de son Écriture pour que s'achève sur nos lèvres l'élocution de Sa bouche, pour que nous les prononcions avec Lui, après Lui, comme de petits enfants répètent les mots qu'on leur épelle.

À la porte du jardin des Écritures comme à la porte du paradis originel, Dieu a placé un écriteau à l'intention de l'homme : « Jardin à poursuivre ». Jardin à « garder » : Marie « gardait » toutes ces choses dans son cœur et l'Église est « gardienne » des Écritures. Jardin à « cultiver » aussi : « pour qu'il le cultive (Gn 2, 15). La *lectio* véritable est *operatio*... Le jardin d'Éden planté par Dieu fleurissait sous l'influence conjuguée de la Brise du soir, de la Source et de l'homme qui l'entretenait : le jardin des Lettres divines ne fleurira pour nous que si nous demeurons, nous aussi, dans la « Brise du soir », si nous invoquons l'Esprit qui est à la fois la Brise et la Source, et si nous mettons la main à la tâche, car le jardinier ne saurait voir les consonnes en fleurs s'il ne travaille le jardin...

Lève-toi, aquilon,
accours, autan !
Soufflez sur mon jardin,
qu'il distille ses aromates ! (Ct 4, 16).

XV

Un fleuve qui emporte tout

Jardiniers de l'Écriture, « coopérateurs de Dieu » (*synergoï*, 1 Co 3, 9) et « serviteurs de la Parole » (*hypèrétaï*, Lc 1, 2), nous sommes dès lors des « faiseurs de la Parole pour entendre la voix de la Parole », selon la teneur littérale du psaume 103, 20, ainsi commentée dans la tradition rabbinique :

> Maintenant, quand les justes veulent écouter une parole de Dieu, ils font d'abord la parole et la construisent, la fabriquent, c'est-à-dire, par leurs actions positives, ils atteignent la capacité d'écouter les paroles divines [1].

Le travail exégétique attendu de nous dans le jardin des Écritures pourrait s'appeler « midrash existentiel » ; or une exégèse vraiment « constructive » de la Parole réclame et utilise tous les matériaux vivants que nous pouvons y apporter. Restant sauf le sens absolument unique selon lequel Jésus « accomplit » (Mt 5, 17) les Écritures, comme leur Seigneur et leur Terme, il n'en reste pas moins qu'il est pour nous l'exemplaire de ce « midrash existentiel », lui dont les moindres paroles, les moindres gestes manifestaient la contexture si

---

1. Rabbi Nahman de Braslav.

intime et si merveilleusement naturelle de sa vie humaine avec les Écritures. Pour prendre une autre image, le fleuve de notre *lectio divina*, « fleuve d'eau vive » appelé à grossir de jour en jour, doit drainer dans son cours absolument toutes les alluvions, tous les sédiments de notre vie dans sa singularité, sa concrétude, son immédiateté, tout emporter sur son passage : « L'impétuosité du fleuve réjouit la cité de Dieu » (Ps 46, 5). Nous devons convertir vers cette Jérusalem qu'est l'Écriture toute la « multitude de la mer » (Is 60, 5), c'est-à-dire tout ce qui fait notre vie, comme à l'inverse nous devons aller à toutes les choses de la vie, même aux plus menues et aux plus prosaïques, en écoutant toujours en nous le bruissement des grandes eaux, la multitude marine de l'Écriture.

Nous allons au Texte sacré avec toutes nos expériences, nos joies, nos souffrances, nos péchés, nos repentirs, nos souvenirs, nos désirs, nos émotions, nos rêves ; nous allons à lui avec notre culture humaine, avec nos lectures anciennes ou récentes, avec nos tâches, avec le temps liturgique dans lequel nous nous trouvons alors, avec le paysage que nous regardons par la fenêtre, avec les saisons si nuancées de la nature et de la grâce : la *lectio divina* prend imperceptiblement le goût de Noël ou de Pâques, le goût d'un jour de tempête ou d'un jour de neige. Rien n'est indifférent, tout importe, tout a titre à rentrer dans la composition de notre midrash, car chacun de nous est appelé pour sa part à recevoir de l'Écriture la forme de sa propre vie, en même temps qu'à redessiner pour lui-même le jardin de l'Écriture selon le tracé de sa propre vie ; de même que bien des psaumes ont été rattachés à des circonstances très précises de la vie de David, de même il faudrait que nous puissions rattacher chaque passage de l'Écriture à une heure, à une expérience, à une circonstance de notre vie où nous en avons rencontré « existentiellement » le sens. Le Livre deviendrait alors pour nous véritablement un « livre d'heures », rythmant notre vie et rythmé par elle. Le jardin des Écritures est, de soi, identique pour tous ceux qui y sont admis, mais chacun y confectionne un miel d'une saveur jusque-là inédite et sans réédition postérieure possible.

XVI

Texte, contexte, prétexte

Un jeu sur les mots va nous aider maintenant à définir notre rapport vivant à l'Écriture.

L'Écriture elle-même est un *Texte*, non pas en un sens linéaire ou plan, comme nous l'avons dit, mais au sens de « volume » ; un Texte, c'est-à-dire une contexture (*lat. texere*) extrêmement complexe et résistante, mais telle aussi que, si l'on a une fois saisi un seul fil du tissu, on en viendra bientôt à les tenir tous en main, car tout est connexe dans ce nœud de fils d'or, dans ces « brocarts » dont est revêtue la Fille du Roi (cf. Ps 45, 14-15).

De ce texte, notre vie est le « con-texte » obligé, indissociable, dans son absolue singularité comme dans la totalité de ses dimensions ; le Texte explique notre vie et notre vie explique, explicite sans cesse le Texte ; inextricable promiscuité de la Parole et de notre vie. « Ta loi me tient aux entrailles » (Ps 40, 9). C'est dans ce contexte vivant, plénier (et non pas seulement dans une spéculation toute cérébrale), à la faveur d'une collaboration de toutes nos puissances, que le Texte dégage tout son sens et que nous le rencontrons. « Contexte » signifie encore que chaque passage de l'Écriture, en vertu de la profonde cohésion interne de la Révélation divine, est « con-textuel » de toutes les autres parties, nécessaires à son exégèse.

Le Texte enfin peut être dit « pré-texte ». Par cette notion, on n'entend point évidemment dévaluer le sérieux des Écritures, leur autorité, leur consistance propre, mais signifier la fécondité même de ce Texte sacré qui, depuis le début de son histoire, ne cesse de suggérer d'autres textes à ceux qui le lisent et le méditent ; l'Écriture divine est prétexte (au sens le plus noble et le plus sérieux) à une inlassable écriture humaine qui l'orchestre et l'escorte. C'est au nom de ce caractère « prétextuel » de l'Écriture, soit dit en passant, qu'il faut faire l'apologie des commentaires exégétiques des Pères ; il serait tout à fait malvenu, indélicat, de rejeter, comme purement gratuits et adventices, certains développements allégorisants, même les plus audacieux et les plus fantaisistes en apparence. Le caractère prétextuel de l'Écriture a été positivement voulu par son Auteur lui-même qui, en même temps qu'il prend lui-même la parole, inspire aussi à l'homme une réponse, un commentaire à cette parole. L'émission d'un son demeure corrélative de l'écho qui lui répond, les variations polyphoniques du thème primitif qui les suscite et les soutient ; et, dans le cas présent, tous les « mélismes », tous les arpèges exégétiques sont légitimes et dignes d'intérêt dans la mesure, bien entendu, où ils demeurent en « accord », en continuité organique avec l'Esprit de l'Écriture et le Magistère de l'Église.

XVII

À l'ombre
des consonnes en fleur

Mais ce n'est pas seulement aux grands, aux Pères de l'Église, aux géants de l'exégèse, qu'il revient de prendre « prétexte » de l'Écriture pour composer des préludes et des fugues : c'est à chacun de nous ! Et cette notion de « prétexte » nous conduit à envisager un caractère très important de notre *lectio divina*, si petits que nous soyons : inventivité, créativité, perpétuelle nouveauté. Ces mots peuvent surprendre, voire inquiéter. Serait-ce là « libre examen » ? Point du tout ! Il suffit de bien comprendre ces mots. Si l'exégèse de l'Écriture jaillit vraiment de la vie théologale, nourrie par les sacrements, dans une joyeuse et totale adhésion à la Tradition et au Magistère de l'Église, elle n'a pas d'autre règle que celle-ci, dont on emprunte la lettre à saint Augustin : « Aime et fais ce que tu veux ». Si vraiment nous lisons l'Écriture dans « l'Esprit qui nous a été donné » (Rm 5, 5) et qui « parle à l'Église » (cf. Ap 2, 7), elle sera quotidiennement pour nous prétexte à découvertes, à inventions, à comparaisons, à compositions, à rhapsodies. Cette exégèse-là, celle des enfants, des

« fils de la maison » (cf. Jn 8, 35 ; He 3, 6) n'a pas d'autre règle que la liberté et la nouveauté de l'Esprit. Nous sommes chez nous dans l'Écriture : nous devons nous y ébattre comme des enfants. Du reste, à lire un Origène, un saint Grégoire le Grand, un saint Bernard, à lire les Alexandrins comme les Médiévaux, on est frappé par ce caractère de liberté qui signe leur exégèse : voilà des hommes qui étaient chez eux dans la Bible, qui y étaient à l'aise, au large ! Sans avoir leur génie, nous devons apprendre auprès d'eux cette vraie et profonde liberté.

À cette exégèse créatrice, « poétique » (au sens le plus compréhensif), chacun de nous est invité comme à une fête, « gratuitement » (Ap 22, 17). Elle ne requiert pas de dons intellectuels exceptionnels, car le Père « a caché ces choses aux sages et aux intelligents et les a révélées aux tout-petits » (Mt 11, 25). Chacun de nous, tout simplement, depuis le jour de son baptême, et d'une façon nouvelle depuis le jour de sa « conversion », a droit d'entrer dans le jardin des Écritures, de s'y promener avec le Seigneur dans la brise du soir (cf. Gn 3, 8)[1], de s'arrêter tout à loisir devant les consonnes en fleur, de les cueillir, de les butiner, d'assortir indéfiniment les couleurs et les formes.

---

1. « Claudel ne traduit pas les Psaumes. Il les reprie, les redanse et les retricote dans une sorte de conversation à bout portant avec Dieu où il s'agit pour lui, comme pour David et saint Jérôme avant lui, d'arriver, avant toutes choses, au cœur même de Celui dont on veut se faire entendre », Pierre CLAUDEL, *Avant propos des Psaumes de Paul Claudel*, Paris, 1966.

XVIII

Consonnes en feu

L a *lectio divina* devrait renouveler pour nous l'expérience du Buisson ardent : les mots de l'Écriture, tels des silex indéfiniment entrechoqués, font jaillir un feu toujours nouveau[1]. La Bible est un Livre d'étincelles. Notre Dieu est « un Feu dévorant » (Dt 4, 24). Il faudrait qu'en lisant nous voyions le feu de l'Esprit brûler, sans les consumer, les articulations de la bouche divine, et qu'au spectacle des consonnes en feu nous disions avec Moïse, remplis d'une sainte curiosité : « Je vais aller voir » (Ex 3, 3). La lettre devrait être pour nous l'orée d'une « terre sainte » où l'on ne pénètre qu'en ôtant les sandales de ses pieds (cf. Ex 3, 5).

Expérience toujours actuelle du Buisson ardent et du Sinaï, la *lectio divina* est aussi une expérience taborique : c'est une christophanie. Du moment en effet que notre lecture, toujours issue de la prière et prête à y retourner (cf. Lc 9, 29), s'accomplit sous la « nuée lumineuse » de l'Esprit (cf. Mt 17, 5), notre regard ne s'arrête pas à un texte : il rencontre un *Visage*. Pour

---

1. « Jamais l'esprit ne donne congé à la lettre qui le révèle. Bien au contraire, l'esprit éveille dans la lettre de nouvelles possibilités de suggestions », E. LEVINAS, *Quatre lectures talmudiques*.

nous qui nous tournons vers le visage du Christ, le « voile » est ôté, et nous lisons « à visage découvert » dans ce « miroir de la gloire du Seigneur » qu'est alors l'Écriture (cf. 2 Co 3, 15-17). Le Texte est pour nous Visage du Christ. Et dans cette expérience de « transfiguration » de la lettre qu'est la *lectio divina*, le Texte tout entier – Loi, Prophètes et Psaumes – se met à « converser » (*syl-laleïn*, cf. Lc 9, 30 à propos de Moïse et d'Élie) avec sa Figure centrale, le Christ, et à « dialoguer » (*légeïn*, Lc 9, 31) au sujet de l'Événement central de toute la Révélation : l'« exode » pascal de Jésus et le nôtre. Nous pouvons parler de « transfiguration » de la lettre, parce que l'Écriture appartient à l'« économie » de l'Incarnation et participe de ce fait aux caractères théandriques du Verbe incarné [2], à son humilité et à sa gloire ; à travers l'humilité de la lettre par conséquent, comme à travers l'humilité de la condition humaine de Jésus, nous avons accès à la gloire du Verbe, de la Personne divine. Lors du procès de la femme adultère, Jésus, nous rapporte saint Jean, « se baissant, se mit à écrire avec son doigt sur le sol » (Jn 8, 6). Dans ces mystérieux dessins tracés par Jésus, ne pourrait-on pas voir comme une image de l'Écriture, tracée pour nous par le Verbe dans le même mouvement de condescendance et de kénose (*katô kypsas*) qui l'a fait revêtir notre chair ? Lorsque l'Esprit nous révèle le sens caché sous la lettre, l'Écriture « vêtement du Verbe [3] », se met à resplendir comme les vêtements et la chair de Jésus. « Tunique sans couture » de Jésus (Jn 19, 23) : unité de l'Écriture ; dessins tracés par le Miséricordieux sur notre terre (Jn 8, 6) : humilité de l'Écriture. Voilà tout ce que sont pour nous les saintes Consonnes ; nous les avions comparées plus haut aux ossements desséchés d'Ézéchiel : ne sont-elles pas aussi comme les os de l'Agneau dont « pas un ne sera brisé » ? (Jn 19, 36 ; Ex 12, 46).

2. Cf. H. de LUBAC, *Histoire et Esprit. L'intelligence de l'Écriture d'après Origène*, Paris, 1950, p. 336 s.
3. ANDRÉ DE CRÈTE, *Sermon sur la Transfiguration*, PG 97, 948. JEAN SCOT ERIGÈNE, *In Iohannis Evangelium*, I, 30, *SC* 180, p. 154 ; RUPERT DE DEUTZ, *In Genesim*, VIII, 20, *CCCM* 21, p. 505 ; AELRED DE RIEVAULX, *Sermones inediti*, 10, éd. Talbot, p. 86.

XIX

Aujourd'hui

L e Buisson ardent nous a conduits au Tabor ; après cette digression, revenons à notre thème de la nouveauté. Chaque verset, chaque mot de l'Écriture est comparable à une boîte (en hébreu, le même mot *teba*[b] signifie « mot » et « boîte » !) ; il faut l'ouvrir avec l'impatience et l'émerveillement d'un enfant qui déballe un cadeau. L'exégèse est une *petiḥah*, une ouverture permanente : ouverture de la lettre et découverte du sens, ouverture de la lettre à l'Esprit, ouverture de notre vie à la Parole, ouverture de notre bouche pour une réponse, une « confession » de louange.

De découverte en découverte, de renouvellement en renouvellement nous allons jusqu'à la Source ; nous devenons mystérieusement contemporains de la Parole, de son jaillissement éternellement frais, de son énergie, de son incandescence éruptive. « Seigneur, à qui irions-nous ? Tu as les paroles de la vie éternelle ! » (Jn 6, 68). C'est aujourd'hui, le Rocher frappé par le bâton ; c'est aujourd'hui, le Sinaï ; c'est aujourd'hui, la Révélation... Un Midrash, repris par Rashi, le grand exégète juif du XIIe siècle, commente ainsi Dt 26, 16 :

Que signifie « aujourd'hui » (*hayyôm hazzè*) ? Le Saint
– Béni soit-il – n'avait-il rien ordonné jusqu'à présent ?
Pourtant l'aujourd'hui en question se situe dans la quaran-
tième année après la Révélation. Voici ce qu'il faut comprendre : « Moïse dit à Israël : La Torah doit vous être si
chère que chaque jour doit être pour vous le jour-même de
la Révélation.

Et nous qui avons reçu dans le Verbe fait chair la plénitude
de la Révélation, nous pouvons dire davantage encore :
lorsque nous lisons l'Écriture, nous accédons mystérieusement
jusqu'à cet Aujourd'hui éternel dans lequel le Père engendre et
prononce son unique Parole consubstantielle ; Parole dans
laquelle notre nom à chacun est prononcé (« Il nous a élus en
Lui », Ép 1, 4) et dans laquelle est prononcée aussi sur nous
toute parole de salut.

XX

Une pierre pour la cathédrale

Dans le secret de ta cellule pourtant, où, jour après jour, tu t'appliques au « midrash » permanent, à l'incorporation patiente et silencieuse du Texte à la trame de ta vie, tu n'es pas seul. L'Antiquité chrétienne aimait à confectionner, à propos de certains passages bibliques, des « chaînes » exégétiques, telle la « Chaîne Palestinienne » sur le psaume 119, regroupant pour chaque verset les commentaires d'Origène, d'Athanase, de Didyme, d'Eusèbe, etc. Eh bien, as-tu songé que toi aussi, lorsque tu lis l'Écriture et composes ton propre commentaire, tu fais partie d'une immense chaîne vivante d'exégèse, dont le premier maillon est la génération contemporaine de la Pentecôte, autour de Marie qui « conserve tout dans son cœur », et dont le dernier sera l'ultime génération de l'Église, contemporaine du jour où, toutes choses étant accomplies, le ciel disparaîtra « comme un livre qu'on roule » (Ap 6, 14 ; Is 34, 4) ? Oui, tu fais partie, à ton humble place, d'une interminable suite d'hommes et de femmes qui, en attendant la claire vision de Celui qui parle, s'appliquent à scruter la lettre d'amour qu'il nous a laissée. Solitaire dans ta cellule, tu es solidaire de toute l'humanité destinataire du même Livre.

Nous avions vu auparavant comment la *lectio divina* exige pour ainsi dire la collaboration, la mobilisation de tout notre microcosme individuel : nous voyons maintenant comment elle intéresse tout le macrocosme ecclésial. Nous aurions peut-être tendance à ne considérer notre *lectio divina* que comme un exercice privé ; or cette *dimension ecclésiale* revêt une importance considérable et nous devons en réveiller sans cesse en nous la claire conscience : il y a là une grande source de joie.

Quand tu t'adonnes à la *lectio divina*, tu te trouves impliqué dans une œuvre qui te dépasse et te déborde de toutes parts, tu entres dans un chantier comme un ouvrier parmi une foule d'autres ouvriers. Dans l'exercice de cette activité-là en effet, qui mobilise et récapitule toutes les ressources de ton être, tu es, à un titre tout particulier, membre de l'Église, du Corps total. C'est toujours en cette qualité de fils et de membre de l'Église que tu dois rencontrer la Parole dont l'Église seule est la véritable interlocutrice et la véritable dépositaire. À travers l'humilité, l'obscurité, la solitude de ta *lectio divina*, quelque chose d'immense et de grandiose s'élabore : à travers toi et en toi, c'est l'Église qui accomplit son intériorisation cordiale de la Parole. « Marie gardait et comparait en son cœur… » (Lc 2, 19). Te voilà donc devenu comme une chambre haute de cet immense Cœur ecclésial qui, de la Pentecôte à la Parousie, n'en finit pas de garder, de comparer, d'approfondir les Écritures ; comme un miroir, une facette de cet immense Corps oculaire, de ce Vivant constellé d'yeux (cf. Ap 4, 6) qui n'en finit pas de regarder.

Puisque tu n'es pas seul, puisque tu n'es ni le premier ni le dernier dans cette entreprise d'investigation du sens de l'Écriture, puisque tu y fraternises silencieusement avec tous ceux qui, avant toi, en même temps que toi, après toi, inter-rogent le même Livre, tu comprends alors aisément la dignité de ta *lectio divina*, son importance, sa nécessité même. Quand bien même rien ne devrait jamais s'ébruiter au-dehors de tes découvertes dans l'univers des Écritures, ton exégèse personnelle et toute secrète *importe* à la construction de la « cathédrale du sens », à cette exégèse totale, communautaire, « catholique », dont l'Église pérégrinante à travers l'histoire est le sujet et qu'elle offre comme une réponse nuptiale, un hommage à son Seigneur qui lui a parlé. Chaque verset des Écritures est un son émis par la bouche de Dieu dont les ondes doivent parvenir « jusqu'aux extrémités du monde » (Ps 19, 5) et se répercuter dans la caisse de résonance que leur offre le cœur de *chaque* homme qui les perçoit.

Et maintenant je vais te dire un mystère auquel tu n'avais peut-être pas songé : le sens de la plus humble parole de l'Écriture ne sera pleinement dévoilé que lorsque le dernier homme de l'histoire en aura écouté longuement en lui-même la résonance et y aura répondu. De génération chrétienne en génération chrétienne, le Sens ne cesse de s'inventorier, de s'enrichir, de se ramifier ; c'est comme un fleuve qui ne cesse de grossir :

> Comme une source, dans la petite région qu'elle occupe, est plus abondante et distribue son flot par de nombreux ruisseaux à de plus vastes espaces que n'importe lequel de ces ruisseaux qui descend de la même source à travers bien des régions ; ainsi le récit du dispensateur de ta parole, devant servir à de nombreux discoureurs à venir, d'un petit débit de discours fait jaillir des flots de limpide vérité, où chacun puise pour soi le vrai qu'il peut trouver dans ces choses, qui ceci, qui cela, pour l'étirer en de plus grands méandres de paroles [1].

La chose te paraîtra étonnante, audacieuse peut-être, mais il faut bien oser le dire : le sens du Texte ne saurait être plénier si tu lui manques, si tu n'intègres ton exégèse personnelle, intime, à la plénitude de l'exégèse « catholique » à laquelle tous les membres du Corps mystique apportent leur contribution. Car le « sens plénier » de l'Écriture, c'est aussi la somme

---

1. AUGUSTIN, *Confessions*, L. XII, XXVII, 37, *BA* 14, p. 407, trad. E. Tréhorel.

exhaustive des harmoniques perçues par l'oreille filiale de la *Catholica* lorsque Dieu parle. « Écoute, ma fille… » (Ps 45, 11). Le sens que tu découvres aujourd'hui dans la solitude de ta cellule fait de droit partie de ces harmoniques ; il est inscrit dès maintenant et pour toujours dans la « Glose » que les générations successives inscrivent en marge du Texte et entre ses lignes. Nous nous représenterions volontiers cette Glose, cet immense chantier herméneutique, comme les grands commentaires rabbiniques dont la disposition matérielle est par elle-même déjà si suggestive : le texte sacré figure au centre de la page, en gros caractères ; tout autour, en carac- tères d'importance variable, les commentaires des rabbins. Pour nous, quoique notre « unique Enseignant » nous ait recommandé de ne point nous faire décerner le titre de « rabbi » (cf. Mt 23, 8), il ne nous est point interdit d'inscrire très humblement, en tout petits caractères, sur la marge du Livre, la « confession » (au sens augustinien) que la Parole du Dieu vivant suscite en nous.

Nous avions parlé plus haut de « lecture symphonique » de la Bible en voulant signifier par là qu'il nous faut écouter simultanément le Texte entier, la plénitude de sa musique, toutes les octaves qu'y discerne l'oreille typologique. Ce que nous venons de dire sur l'aspect ecclésial de la *lectio divina* nous fait entrevoir un nouveau sens de cette « lecture sympho- nique » : ce n'est pas seulement la musique intrinsèque de l'Écriture qu'il faut écouter, mais celle qu'elle suscite au cours des siècles de *lectio* contemplative, celle des commentaires. Ainsi, lorsque nous étudions un texte de l'Écriture de façon vraiment approfondie, nous devons, après en avoir écouté les harmoniques intra-bibliques, écouter les accords de la Tradi- tion, avec leur richesse, leur modalité ; écouter Origène, Cyrille d'Alexandrie, Ambroise, Jérôme, Augustin et tant d'autres ; écouter Jean de la Croix et Thérèse de Lisieux ; écouter Péguy et Claudel ; écouter les Pères, les théologiens, les poètes. C'est cela, la lecture symphonique, la lecture fraternelle et familiale, la lecture catholique de l'Écriture ! Et dans cette catholicité des voix qui « racontent » l'Écriture – « *narrantes carmina Scriptu-*

rarum» (qui déclament les chants des Écritures, Si 44, 5 Vulg.) –, ce ne sont pas nécessairement les grands qui retiendront notre attention ; ce sera peut-être tel parent, tel ami, tel prêtre entendu autrefois, tel de nos frères qui nous aura communiqué ses propres découvertes : l'Écriture, comme l'eucharistie, est le « bien commun de toute l'Église ».

La grande passion de notre vie

Depuis les origines, la tradition monastique s'est plu à ranger l'*apatheia*, l'absence de passions, dans l'arsenal des vertus qui signalent le moine parvenu à la perfection. Est-ce à dire que toute passion absolument soit à proscrire de notre vie ? Comment serait-ce possible, quand Jésus lui-même nous a avoué son grand désir de manger la Pâque avec nous (cf. Lc 22, 15) et de voir brûler le feu qu'il était venu allumer sur la terre (cf. Lc 12, 49) ? Eh bien, si quelque passion a droit de cité dans notre cœur, c'est bien la passion de l'Écriture !

De quel amour j'aime ta Loi !
Tout le jour je la médite (Ps 119, 97).

Source de joie incomparable :

Quand tes paroles se présentaient, je les dévorais ;
ta parole était mon ravissement
et l'allégresse de mon cœur (Jr 15, 16).

Source de larmes :

« Ce jour est saint pour Yahvé votre Dieu ! Ne soyez pas tristes, ne pleurez pas ! » Car tout le peuple pleurait en entendant les paroles de la Loi (Ne 8, 9).

Séparé de tout, le moine est l'homme d'un seul amour ; et c'est pourquoi aussi, sur la table de sa cellule, il n'y a qu'un seul Livre ouvert dans lequel il ausculte nuit et jour le cœur de l'unique Aimé. « Écoute, Israël, le Seigneur notre Dieu est l'Unique ! » (Dt 6, 4). Comment dès lors ne pas avoir un amour passionné pour ce livre unique où il nous parle ? Livre d'histoire exhaustif et péremptoire qui, embrassant à la fois la Création, la Rédemption et la Consommation, révèle la causalité première de toutes choses comme leur ultime finalité ; encyclopédie qui répond, bien mieux que toutes les sciences exactes et humaines – parce qu'elle leur apporte une véritable paix – à toutes nos questions sur l'univers et sur l'homme ; vivier de métaphores d'où le théologien élabore les concepts ; inventaire du cœur humain qui en répertorie, avec une vérité toujours fraîche, les violences et les tendresses, les plus délicates intermittences ; album d'images qu'aime à feuilleter l'enfant que nous demeurons toujours[1]. Et l'on n'en finirait pas de dire tout ce que ce Livre est pour nous : il partage les attributs mêmes de Celui qui l'a écrit : il est simple, immense, éternel ; Livre à travers lequel Dieu nous fait « livraison » de sa vérité, de sa bonté, de sa beauté.

Voilà nos « Lettres » ; et ces Lettres-là doivent être le grand amour de notre vie. Point de conflit ici entre « l'amour des lettres » et le « désir de Dieu » puisque de ces Lettres l'auteur est Dieu lui-même, et puisque dans la docilité à la pédagogie maternelle de l'Église, dans un climat de vie sacramentelle qui les actualise sans cesse, ces Lettres sont pour nous le chemin obligé de la rencontre avec Dieu.

Nous ne possédons rien : la Bible est notre trésor ; nous avons fait vœu de stabilité : la Bible est notre espace, notre pâturage ; nous nous sommes retirés dans la solitude : l'Écriture est notre compagnie, notre société, et il n'est pas un seul

---

1. « Reviens à toi-même et aux livres dont tu t'es fait le familier, dans lesquels il y a tant de vies, tant d'exemples, tant de plaisir et de douceur », Grégoire de Nazianze, *Lettre* 165, « à Timothée » (un jeune « théologien »), *PG* 37, 273 C.

des personnages qu'elle met en scène, depuis Adam jusqu'aux comparses des Épîtres de saint Paul, dont nous ne soyons contemporains. Au jour de sa vocation, notre Père Abraham s'entendit dire par Dieu : « Quitte ton pays... va vers le pays que je te montrerai ! » (Gn 12, 1). De la même façon, chacun de nous, au jour de sa conversion, a été placé devant le Livre ouvert comme devant un horizon immense, comme devant une Terre Promise, et s'est vu intimer l'ordre de tout quitter pour partir à sa découverte, pour le « reconnaître » (cf. Nb 13, 17). L'Écriture est notre Terre Promise, notre royaume, notre aventure ; une aventure d'exégèse qui engage toute notre vie. Jusqu'à ce que le Seigneur lui-même nous introduise au-delà des mots et des figures, au-delà des consonnes, dans le feu où il habite et d'où il nous parle, nous devons garder une âme de nomades et poursuivre, joyeux, notre quête, en inlassables pèlerins du Sens. Jésus ressuscité nous rejoint sur la route et nous y accompagne, Lui, le Sens, la Plénitude et l'Exégète de l'Écriture, à l'approche duquel prennent feu, prennent fleurs, les cœurs et les consonnes.

Envoi

Après le paisible scrutateur de Fra Angelico, la vieille mère de Rembrandt lisant la Bible nous offre à son tour une allégorie de la *lectio divina*.

Dans l'une des Visions du Pasteur d'Hermas, l'Église apparaît sous les traits d'une vieille femme. « Pourquoi est-elle si âgée ? », demande Hermas. Et il lui est répondu : « Parce qu'elle fut créée avant tout le reste. Voilà pourquoi elle est âgée ; c'est pour elle que le monde a été formé[1]. »

Pourquoi dès lors ne pas reconnaître dans cette vieille mère du peintre comme une figure de l'Église ? Remarquons qu'elle ne lit pas simplement le livre : elle le touche, elle le palpe, en donnant l'impression de chercher quelque chose qu'elle y a lu déjà autrefois. On songe à la vieille Anne dans la pénombre du Temple (cf. Lc 2, 36-38). Elle ne voit plus bien : « L'œil usé d'attendre Tes promesses, j'ai dit : Quand vas-tu me consoler ? » (Ps 119, 82). La main du saint Dominique de Fra Angelico, fine et souple, se posait sur la tranche du livre ; la main de la vieille femme, épaisse, usée par les travaux, se pose à plat au milieu de la page : c'est l'humanité entière qui « cherche la divinité pour l'atteindre, si possible, comme à tâtons et la trouver » (Ac 17, 27). Une lumière vient d'en haut qui, laissant le visage dans l'ombre (« nous voyons à présent

---

1. HERMAS, *Le Pasteur*, Vision II, 4, 1, *SC* 53 bis, p. 97.

en énigme », 1 Co 13, 12), se pose en même temps sur le livre et sur la main dont le geste a quelque chose de sûr et d'infaillible. Une grande paix vient du contact physique avec l'Écriture.

Notre lecture à nous aussi doit être un toucher du Verbe incarné. Comme Thomas, au soir de l'octave de Pâques, nous devons toucher et palper, mettre notre doigt dans le trou des consonnes pour confesser que le Christ est « ressuscité selon les Écritures » (1 Co 15, 4). Et à l'heure où les doigts sont mal-habiles, les yeux faibles, la mémoire défaillante, le contact charnel avec le Livre, dans son humilité, demeure une média-tion sûre pour atteindre la lumière. La Femme, la Mère-Église pluriséculaire tient le Livre ouvert sur ses genoux ; c'est elle qui nous le lit, nous l'apprend, nous le raconte sans fin comme à de petits-enfants ; comme d'instinct, elle trouve les pages que nous avons besoin d'entendre.

TABLE DES MATIÈRES

Achevé d'imprimer
sur papier Offset 80 g non acide "Corot"
à l'imprimerie Jouve - F - 53101 MAYENNE
N° d'imprimeur : 272681E
Dépôt légal : septembre 1999

AUX ÉDITIONS DE BELLEFONTAINE

Collection « SPIRITUALITÉ ORIENTALE »
Monachisme primitif

Spiritualité monastique contemporaine

Collection « SPIRITUALITÉ OCCIDENTALE »

Éditions Monastiques
Abbaye de Bellefontaine - F-49122 Bégrolles-en-Mauges

4340